EL HOMBRE QUE NO PUDO SER PUDO SER DOMESTICADO

JAIME L. PACHAS

Novela

Una publicación de Books&Smith

Agradezco a mis padres: dos desconocidos que se juntaron para darme el regalo más hermoso: la vida.

Este libro se lo dedico a mi hija,
a quien admiro.

EL HOMBRE QUE NO PUDO SER DOMESTICADO

Estoy encerrado en mi cuarto. Puse cerrojo a la puerta para que nadie pueda entrar. También sé que el cerrojo es inútil. El aire y el sol siempre traen amistades que no conozco. En este mundo desarreglado, hay seres que se esconden en el sol, en el aire, sujetos incorpóreos que ya han existido. Ellos vuelven a la vida a buscar un futuro.

Un día, una de esas amistades dejó una paloma blanca en mi cama. No sé cómo apareció la paloma, imposible que haya entrado por la ventana. Desde que me mudé aquí nunca la abrí. Además, estaba herméticamente cubierta con plástico blancuzco y engomados sus contornos con cinta aislante, de las que se usan en los trabajos de construcción. El frío del invierno se filtraba y opté por esa perezosa solución. No tenía similitud alguna con el matiz del dormitorio; los que hacemos mantenimientos en las casas poseemos esa capacidad innata de improvisar ante cualquier emergencia, incluyendo las inclemencias del tiempo.

Mi madre había partido hacía veinte días. Me la pasaba sumido en una aflicción subyugante. Ella había prometido esperar mi retorno, pero no cumplió su promesa. Entiendo que los padres muchas veces por amor quieren ser eternos para sus hijos. Ese fue el caso de mi progenitora. Ella guardaba la dolencia de su enfermedad y solía metamorfosear sus lágrimas por sonrisas; incluso cantaba al tener el respirador artificial conectado a su boca y nariz.

Una noche, mi hermana se quedó dormida mientras cuidaba a mi madre en el hospital. Eran las dos de la madrugada cuando entró una llamada a mi celular. Casi no contesto, pero algo me decía que debía.

—Disculpa, Serrano, por despertarte a estas horas. Es que no tengo sueño y quise saludarte.

Era mi madre. Me quedé sin habla. Se me congelaron los nervios. Tomé dos vasos de agua helada, me lavé la cara, tuve que contenerme mis no sé qué con tanta fuerza que se estremecieron mis labios. No perdí la calma y respondí con una broma que siempre la hacía reír.

—¡Cómo jodes, mamá! A estas horas estás llamando.

—Ya te volviste gringo, que te incomoda mi llamada —dijo entre carcajadas, siempre con ese humor intemporal que la caracterizaba, y que heredé.

—No es eso; y qué milagro te acordaste de mí.

—Te llamé para que cuides de tus hermanos. Tú eres más centrado y aparte no empinas el codo como ellos.

Sentí una despedida prematura o la ilusión de un moribundo de querer escuchar al hijo que no retornó a casa. En cambio, mis palabras colmadas de amor volvían casi a diario. Siempre uno busca una forma tonta y simple de encontrar consuelo. La palabra *volveré* fue el pretexto que, después de tanto uso, crucifiqué en mi boca.

—Madre, tú vas a vivir hasta doscientos años —Intenté hacerla reír.

—Oye, si te corto, es que pronto pasan las novias blancas en sus rondas nocturnas. Si escuchan que estoy hablando se van a molestar, pero antes de irme, te voy a cantar la canción que sé que te gusta.

Por primera vez cantó un huayno en Quechua. Mientras yo intentaba descifrar algunas letras, dejó de cantar.

—Aló, Madre, ¿estás ahí? Contesta, ¿qué ha pasado? No me asustes. Seguro te has dormido. Si no respondes, voy a colgar.

Me mantuve pegado al celular por dos horas. Mi madre se durmió y no volví a escuchar su voz. Si mis hermanos leen este escrito, se van a enterar por primera vez que mi madre se desconectó del respirador artificial para hablar conmigo; y usó el eufemismo de no tener sueño para así anunciar su partida.

Ella constantemente decía que vendría a verme. La paloma empezó a merodear la intimidad de mi cerebro. Por eso en aquel instante pensé que la paloma blanca era mi madre. Me acerqué lentamente, abracé la paloma y empecé a llorar. Quería escuchar su voz y recuperar esas pláticas que ya descansaban en el ocaso. Le pedí perdón por mi ausencia. Yo también había prometido regresar, pero se complicaron las cosas. Amanecí contándole a mi madre lo que me había pasado en todos esos años. Asumí que la paloma me escuchaba. Luego me di cuenta de que la paloma tenía los ojos cerrados. La zamarreé repetidamente. Abrí su pico y empecé a soplar para que volviera a respirar. Fue inútil. Los tanques de oxígeno que compramos para que te mantuvieras respirando no bastaron. Necesitabas una operación urgente. Los doctores de la ciudad entraron en huelga, y cuando eso sucede, dejan morir a los pacientes. Alquilamos un auto que fungió de ambulancia con la esperanza de llevarte a una clínica en la capital. El gremio de doctores que reclamaba al gobierno un aumento salarial bloqueó la carretera con piedras y llantas en llamas. En esas marchas el gobierno infiltra algunos desadaptados que crean el caos con actos vandálicos; luego, los cleptócratas y tiranuelos del poder salen en televisión abierta a repudiar esas manifestaciones. Confunden así al pueblo para seguir repartiéndose en tajadas el inmensurable pastel llamado patria. De esa torta se alimentan sus hijos, nietos, bisnietos, tataranietos y sus más allegados chacales. Ellos controlan la perpetuación de sus privilegios.

¡Créeme, por favor! Lo intentamos. Sí que lo intentamos. El chófer trató de abrirse paso, le empezaron a llover piedras, le rociaron gasolina al auto con la intención de prenderle fuego. Tuve miedo, y desde un país lejano di la orden de que volvieran a casa.

La paloma se asfixió en mis brazos. Me acosté al lado de ella, miré el techo, vi la sombra de una escuálida araña, que casi todos los días me entretenía con sus acrobacias. La vi tan contenta, como si tratara de darme ánimos. Agarré una sandalia y aplasté esa creación divina contra la pared. Le grité,

—¡Araña de mierda! ¿Por qué no fuiste condescendiente conmigo?

Reí tan fuerte que las personas del cuarto contiguo se molestaron y me dijeron que no hiciera bulla.

Le susurré a la paloma: "perdóname, mamá. Esa araña tenía sus días contados". (Todos tenemos los días contados. Lo bueno es no saber el momento del adiós).

Fue difícil conciliar el sueño. Me la pasé haciendo ejercicios de reflexión sobre las imágenes desesperadas de mis hermanos, que suplicaban a los doctores del hospital para que te atendieran. Una enfermera los convenció de que ya nada se podía hacer.

Mis hermanos, de luto, llevaron el féretro en hombros y recorrieron el barrio. Hicieron una parada en la iglesia. Mi madre era muy católica. Uno de sus últimos deseos fue escuchar un padre nuestro antes de partir. El cura se opuso a guiar esa oración cristiana. Primero quería recibir el pago por los servicios divinos; le puso precio al rezo que Jesús enseñó a sus discípulos. En ese momento nadie tenía dinero. Mis hermanos se agarraron de las manos y cumplieron el anhelo de mi madre. Siete hermanos rezando a una persona distinta: es que en el cuerpo de mi madre habitaban varias mujeres con el mismo tipo de sangre. Cada uno de mis hermanos tenía una madre diferente que vivía en nuestra casa. Si a mí me preguntan cómo era mi madre, respondería que le gustaba la poesía y que era una trabajadora incansable. Poseemos conceptos de nuestra progenitora que no coinciden en lo mínimo.

Despedimos a siete madres con idénticos nombres y apellidos.

Nunca se está preparado para soportar estos golpes. En el camino se aprende a lidiar con ellos; pero por más que uno piensa, jamás logra cambiar lo que ya está hecho.

A las 4:00 a.m. sonó la alarma. Siempre despierto temprano, me gusta leer alguna obra literaria antes de salir a trabajar. Ese día era inconmensurable mi tristeza. No tenía ánimos de adentrarme en la lectura. Preparé mi mochila para salir a trabajar. Le recé un Padre Nuestro y un Ave María a la paloma. La besé y la metí en una bolsa de plástico. Acomodé la bolsa en mi mochila, me persigné, y me marché a cumplir con mi jornada. Recuerdo que aquel día teníamos dos trabajos por hacer: el primero era sacar un *boiler* de una casa abandonada.

Sentí culpa al querer enterrar a la paloma en un lugar deshabitado. Abrí la mochila y mojé la cabeza de la paloma para refrescarla. Atisbé sus ojos. Hay miradas que dicen más que mil palabras. Yo quería averiguar en esas pupilas el último mensaje. O cuál fue su pensamiento al ver la vida por primera vez. Creo que la tierra y el cielo se invierten cuando las personas mueren: el cielo es la tierra y la tierra, el cielo. En conclusión, ellos recién empiezan a vivir en la tierra.

El segundo trabajo era en una mansión cerca al mar. En esa majestuosidad de madera con muebles de Luis XV, sala de cine, piscina, campo de tenis... vi un suntuoso jardín con flores exóticas. Aparte de su aroma, en sus pétalos retozaban la brisa costera y la admiración de los bañistas cercanos, seducidos por los requiebros de aquellas plantas fanerógamas.

Le pregunté al supervisor si los dueños permanecían adentro. Me dijo que se ausentaron hasta que termináramos el trabajo. Me separé de mis compañeros, saqué la paloma de la bolsa, estiré sus frondosas alas, e hice un simulacro como si alzara el vuelo. En sus patas tibias había evidencia de cortes superficiales, señal de haber estado amarrada. La acosté sobre las estructuras mullidas de las flores.

Dice una leyenda que cuando una persona está cerca de la muerte, su alma abandona el cuerpo y se posa en los pétalos de una flor.

Allí se purifica, se perfuma, se conecta nuevamente con la tierra; luego viene un Colibrí y encuentra el alma en la flor. Si el alma ha evolucionado... el colibrí la sube en su cuerpo y se la lleva directo al paraíso.

Le di cristiana sepultura cerca de una diminuta planta de pino, cerca del mar. El pino no pierde su verdor en otoño. Mi madre mantenía la clorofila de la juventud en su amor por la vida. La casa de mis padres está a dos minutos del Pacífico. Enterré la paloma a dos minutos del Atlántico. Me encontraba despidiéndome de la paloma cuando escuché la voz de un compañero de trabajo.

—¿Qué haces hablando solo? ¡Loco de mierda!

Se había dado cuenta de mi soliloquio con el pino. Le dije:

—Estoy hablando con el árbol. El árbol tiene vida, es sensible; sus raíces son como nuestros pies, caminan buscando agua. Su médula espinal es el tronco, sus brazos son las ramas, las hojas su vestimenta, las flores sus adornos.

Los árboles sienten, escuchan, se enamoran. Los árboles viven seduciendo a todos los seres vivos. Nosotros tenemos que hablar y escuchar a la naturaleza. Las aves con sus trinos dialogan con los árboles. Gracias a estos, tú y tus próximas generaciones van a tener los pulmones más longevos. ¿No sabes que el humo de los cigarros que fumas, lo atrapan ellos en sus hojas, en su corteza? Nuestros antepasados respetaban la naturaleza. Los árboles son sagrados; y pueden salvar al mundo del monóxido de carbono. Tú eres un mundo y el árbol te salva a ti. Los árboles saben más de la vida que tú. Los homínidos caminaban en las copas de los árboles antes de caminar en la tierra. Eres esos veintitrés pares de cromosomas que dejaron el árbol y que ahora viven con aire acondicionado o calefacción en una casa. Un bípedo extraviado en su propia rutina.

El compañero volvió al trabajo con un mutismo desconcertante. Le pedí al espíritu del árbol que protegiera al espíritu de la occisa. Palpé la tierra que cubría a la paloma. Ese morro de arcilla era un enjambre de humanos en proceso de creación. Lo traté con cariño para que nacieran con amor, aunque creo sin tener prueba de ello que Caín y Judas también fueron concebidos con afecto. Uno se volvió celoso y el otro ambicioso.

Agarré una escalera y subí a poner una ventana. Demoré más de lo acostumbrado. Al subir por la segunda ventana, vi al compañero. Se había quitado la gorra y platicaba con el árbol. Presentó su reverencia muy educadamente. Después me comentó que le había pedido disculpas al árbol. Yo lo felicité. Él era de Guatemala. Le quise decir que sus ancestros fueron hechos de barro, de madera, de maíz, y que tenían un libro sagrado llamado *Popol Vuh*, que es una recopilación de narraciones míticas que relatan el origen del mundo y la civilización. No se lo dije. El hombre que manejaba el carro traía la música a todo volumen y no es normal que dos trabajadores de construcción hablen de historia.

Llegué a mi cuarto, le puse seguro a la puerta como todos los días. Apenas me estaba sacando las botas; tocaron a la puerta.

Era el dipsómano de mi vecino. Pasó por alto el circunloquio y fue directo al grano: me pidió cincuenta dólares. Recién era Lunes y ya estaba solicitando dinero prestado. Los viernes él gastaba su dinero en las barras.

—¿Por qué gastas tu dinero? —le pregunté.

Me dijo que sentía algo especial por una mujer de la barra, que la comprendía, la aconsejaba; y en sus cálidos brazos él era otro. Ella estaba inmersa en su cerebro como un pecado que espera el estallido de las pasiones para dar rienda suelta al deleite del placer; y la cerveza era manantial poseedor de los átomos de aquella beldad. Él mojaba sus labios en las alicoradas aguas y se embriagaba con la freática fluente de la damisela. La cerveza le susurraba incesantemente el nombre de ella como una plegaria que absorbía sus sentidos. El amor verdadero esperaba por sus besos en la barra, y esos besos tenían que vivir y morir en sus labios, no en los ajenos.

Claro, por cada baile él pagaba cinco dólares, y durante el mismo ella le decía que lo amaba. Si él le invitaba una cerveza tenía que pagar diez dólares. Cuando el dinero se le acababa, ella dejaba de quererlo y se sentaba en las mesas de otros: a besar a otros, a querer a otros, a ser manoseada por otros, a prometer a otros, a fornicar con otros. Él pedía la canción del Caballo Viejo, para que el baile durara, y así poder estar más tiempo agarrado de las cimbreantes curvas de la fémina. A veces la invitaba a comer. Esa mariposa de la barra tragaba como traga la oruga, que tiende a masticar las opíparas cenas de hojas sin cesar hasta que sufre su transmutación. Él tenía el pernicioso hábito de despilfarrar el dinero tontamente. Olvidó sus responsabilidades con la familia. No enviaba dinero como los dos primeros años, en los cuales mensualmente depositaba una cifra considerable. Los más perjudicados eran su esposa e hijo.

—Te voy a prestar, pero no te acostumbres ni seas manirroto —le dije.

—Gracias, hermano.

—No me des las gracias. El viernes quiero mi dinero de vuelta. Tengo algunos pagos, me gusta ser puntual y no malograr mi crédito. Además, a mí el dinero no me entra a espuerta.

Hizo un ademán, como si mi exigencia estuviera más clara que la bruma mirada de un miope. Le importó un carajo, o dos, para ser exactos.

—Oye, ¿tú no te aburres? ¿Pasas todo el tiempo encerrado en tu cuarto? —me preguntó.

—No —le respondí, —yo no estoy solo. Hay varias personas conmigo en mi cuarto. Ellos entretienen mi soledad.

—Yo solamente te veo a ti. ¿O eres como el vecino? Cada quincena mete una mujer a su cuarto, tú sabes, de esas diablas malas que le quitan la plata a los hombres buenos.

Al escuchar la palabra diabla, me recordé el súcubo: un espíritu diablo o demonio que, según la sugestión vulgar, tiene comercio carnal con un varón, bajo la apariencia de mujer.

—No, sapo de mierda. Además, eso no tiene nada de malo.

—Nadie ha dicho que eso sea malo. Él es un cascarrabias y cuando la cortesana de los arrechos se va, se queda como un mar bonancible. Claro, esa tranquilidad solo le dura dos días. Pero mejor cuéntame, ¿con quién platicas en tu cuarto?

—Es muy complicado explicarte. No vas a entender.

—¿Crees que soy burro?

–No lo creo. Con el respeto que merecen esos dóciles animales de carga, lo eres.

—Ya, pues, no me jodas.

—Te lo diré. Sentémonos a la mesa. Vamos a hablar.

—Traeré dos cervezas para tener una plática chévere —dijo, como si estuviéramos en su casa.

—No bebo. Tú toma cerveza, yo tomaré agua.

—Como quieras.

—Escucha, yo no estoy solo. Me he reencontrado conmigo mismo. Al conocerme, he conocido a Dios. Y el Dios que yo conozco sabe de tu destino, y no usa tu destino a su conveniencia. Es decir, nada cae del cielo: tengo que esforzarme por mis sueños. Las hormigas, las moscas, las mariposas... todas tratan a diario de sobrevivir y no buscan excusas ni pretextos como nosotros. El hombre es el único que busca excusas. Si tú no te esfuerzas, Dios no va a mover uno de sus nervios por ti. No lo hará porque tú eres tu propio Dios. Mira, tengo tres dioses que viven felices dentro de mí: conozco al niño, al joven, y al adulto. Ellos son tres genios que me conceden deseos, me conceden paz, felicidad, tranquilidad... Esos tres viven en mi cuarto y a diario se reúnen entre ellos. El niño es curioso, un explorador, que quiere conocer cosas nuevas y no sabe de maldad. Él está aprendiendo a caminar, cae, se levanta y sigue disfrutando de la vida. No le doy motivos para que envejezca. Luego, está el joven que vive enamorado de las chicas, del deporte, de la lectura, del baile, de la música. Y al final, está el adulto, que antes de enamorarse de otra persona, se enamora de sí mismo. Le gustan la comida, los viajes. Él ama a su prójimo. Muchos sacrifican a esos dioses internos y solo se quedan con el anciano: un dios octogenario que no se preocupa de hacer sonreír al niño. El alma del inocente se va tornando melancólica al no poder hacer travesuras con el abuelo.

Las personas no visitan su yo interior, sus adentros. No lo visitan por miedo a perder sus pasiones. A nadie le gusta que le digan su verdad. La verdad que creen vivir esas personas no es tal. Están llenas de hipocresía. Les gusta vivir de esa manera. Si no sacas el dolor, ese dolor es una espina que hiere tu propia carne. Mis adentros eran un inframundo de dolor. Yo entré a curar todas esas heridas. El dolor me consumía. Fue un proceso largo; tuve que regresar al vientre de la tierra para volver a nacer. Cambié mi mente, mis ojos, mis palabras, mis manos… ahora soy diferente. Los humanos tenemos pavor de volver a nacer. La vida es difícil de vivir. Por eso nos hacemos menos humanos. A veces para ser felices tenemos que perder las cosas que queremos. Te contaré una historia: "Había una vez una tigresa que estaba preñada. Se lanzó a atacar a unas cabras pero, para su mala suerte, cayó sobre una piedra filuda. Murió al instante. Su cría, nació. Entonces se vio rodeado de cabras. Al tener tanta hambre, empezó a comer las hierbas que comían las cabras. Al poco tiempo, imitaba el grito que las cabras hacían. Lógicamente, el cachorro estaba esmirriado, a tal extremo que se le podían contar sus costillas. Un día, un tigre atacó a las cabras y quedó sorprendido al escuchar que el cachorro de tigre gritaba como estas. Lo quedó mirando y le dijo: tú eres un felino, tienes el pelaje amarillo, garras, eres un depredador carnívoro por naturaleza, tus colmillos no son de un herbívoro. El tigre agarró al cachorro y se lo llevó. Primero, le enseñó a rugir como tigre; luego le dio un trozo de carne para que lo devorara. El cachorro no comía la carne. Entonces el tigre cambió la carne añeja por carne fresca con sangre. El cachorro, al probar la sangre, se comió la carne.

Poco tiempo después, el tigre y el cachorro salieron de cacería".

Nosotros estamos perdiendo nuestra naturaleza de humanos. Entre humanos nos matamos. Todos estamos en busca de riquezas, sin importarnos los otros. Los otros son las riquezas de este mundo; somos seducidos por el metal precioso que está escondido bajo tierra. El día que la muerte nos lleve, también seremos para nuestra familia el metal precioso bajo tierra. Nos agobia lo hermoso, lo hermoso es nuestra vida, y no le damos la importancia. Cuando la vida es la única propiedad que poseemos. No somos tigres, pero nos comportamos como bestias salvajes. Los tres dioses que viven dentro de mí aman la tierra, el sol, el aire, y el agua. Estamos hechos de esos elementos naturales. En mis huesos, en mi sangre, en mi piel, llevo por siglos lo que el omnipresente nos regalo. Como es gratis y no nos costó nada, no lo valoramos. Nos gusta dar valor a las cosas insignificantes.

En ese momento entró Ramón, quien arrendaba un cuarto en el mismo piso. Él llevaba impregnados los misterios de la noche en su mirada. Nunca hacía contacto con los ojos. Era esquivo, no inspiraba confianza. Una araña no inspira confianza. Una culebra no inspira confianza. Un hermoso caballo de madera inspiró confianza y provocó la caída definitiva de la ciudad de Troya. Eso quiere decir que no depositemos toda nuestra confianza en lo feo, pero mucho menos en lo hermoso.

Ramón con voz cavernosa preguntó si por casualidad habíamos visto una paloma blanca. Dijo que el día anterior la había traído a su cuarto. No creía que la paloma se hubiera ido volando.

—Tenía las plumas cortadas —dijo. ¿Alguno de ustedes la vio? La he buscado por todos lados y no he podido encontrarla.

—No he visto nada. No sabía que criabas palomas —respondió mi vecino. Su respuesta llevaba una curiosidad no tan oculta, demasiado perceptible.

—No crío palomas, ¡sapo de mierda! —respondió un iracundo Ramón.

—Tampoco me vas a venir a gritar.

—No estoy gritando. Es mi tono de voz.
—Entonces, baja tu tono de voz.

—¿Tu amigo no lo ha visto?

—Pregúntale tú. Él no es mudo.

En ese momento se me hizo un nudo en la garganta, un nudo en la lengua, un nudo en mis venas. Ramón tenía una cabeza clava, antropomorfa y zoomorfa. También vi en él a un cinocéfalo o minotauro. Creo el tanto leer historias y leyendas me hace imaginar tonterías.

Me puse nervioso y un rubor se apoderó de mi rostro. Quise contarle lo sucedido con la paloma. Miré de soslayo. Él fruncía el ceño. Y, como una taza de café humeante en la mesa que debe saborearse al momento, Ramón me preguntó:

—¿Tú no has visto la maldita paloma blanca?

Si el mar está en calma, déjalo tranquilo, no te metas a sus corrientes. Si te internas en él, debes atenerte a las consecuencias. Ramón hizo mal en gritarme. No le respondí. Me quedé callado.

—¿Estás sordo? Te pregunté si no has visto a la paloma.

Lo ignoré como si conmigo no era aquel avinagrado diálogo.

—¡Oye, hijo de puta! ¿No has visto la paloma?

Recién había fallecido mi madre. Ese malnacido me la estaba ofendiendo. Cuando se mezclan el dolor y la rabia, uno pierde el sosiego y se transforma en alguien que vive dentro de nosotros, y que desconocemos. Me paré, fui a la cocina, y agarré dos cuchillos. Le tiré un cachillo a sus pies y le dije:

—Aquí nos matamos. Has insultado a mi madre. Uno de los dos se va a morir. Agarra el cuchillo.

Yo había sido testigo de un pleito a cuchillazos entre dos delincuentes. Ambos se sacaron la camisa y se las ovillaron en sus manos. Hice lo mismo. Como si fuera un avezado criminal, raspé el cuchillo en el piso hasta sacar chispas.

—Hey, tranquilo, hermano, no quiero pelearme con nadie —respondió Ramón, temblando.

Funcionó mi obra de teatro. Lo hice tan real que hasta el vecino se creyó la puesta en escena. Claro que si Ramón aceptaba el pleito, yo tiraba el cuchillo y me salía corriendo.

—No te metas conmigo. No sabes quién soy. Y tú, el viernes me regresas lo que te he prestado. Nadie va a venir a agarrarme de tonto-; les dije.

Ramón se disculpó por tercera vez y se marchó. Entonces mi amigo, al ver que Ramón había cruzado ya el umbral hacia la calle, me confesó que el moreno se dedicaba a la santería; que le cortaba las cabezas a las palomas para sus rituales. Rituales de todo tipo, incluso de cómo hacer regresar al ser amado. Dicen que ponía a tus pies el amor no correspondido o el éxito en los negocios. También hacía maldades a algunas personas.

Inhalé tan profundamente que sentí el aleteo de la paloma en mis pulmones. Luego exhalé con una fuerza incontenible, tanta que la paloma salió volando hacia la Vía Láctea. Imaginé a Ramón dando brincos tratando de impedir el vuelo de la paloma. Esta, en su vuelo, se llevaba los setenta dólares, los que cobraba por sus endemoniados trabajos. A la vez, me sentí un héroe. Los libros de historia están llenos de héroes que lucharon por su patria. En esos libros no vas a encontrar el nombre de un héroe que haya salvado la vida de una paloma, la vida de un perro, la vida de un gato.

Esos son héroes anónimos. Dios se siente feliz con esos héroes que cuidan lo que Él creo.

—¿Qué piensas, loco? —me preguntó el vecino.

—¡Oh! Me acordé que tengo que asistir a una tertulia literaria. Otro día seguimos platicando.

—Listo, dejamos pendiente una plática. Chau.

Me volví a encerrar en mi cuarto, saqué la foto de mi madre (que por dieciocho años cargaba en mi billetera), y le pedí disculpas por haberla confundido con una paloma. Me arrodillé y le rogué que nunca me abandonara, porque siempre necesitaría de ella.

"Madre, tú más que nadie sabes que yo tengo la manía de asociar las cosas. Déjame recordarte algo. Se me vino a la mente los días de tu cumpleaños. Siempre me llamabas para que yo dijera algunas palabras a tus invitados. Eran tus invitados, no los míos. La verdad, era un momento tedioso; tus invitados solían traer recipientes de plástico en bolsas negras. La primera impresión fue que traían regalos, pero se me hacía raro que no te entregaban el presente cuando te felicitaban. Ya pasada la una de la madrugada, te daban las bolsas negras y tú ibas a la cocina, abrías la bolsa, sacabas el recipiente y lo llenabas con comida. Aparte de que tragaban, los conchudos de mierda pedían para el calentao. Eso me incomodaba. Es que yo me levantaba a las cinco de la mañana a pelar papas, a moler maíz, y a buscar leña. Todo el día me mantenía ocupado. Ellos venían, comían, no traían regalos. Tío César era el único que llevaba un jabón envuelto en papel periódico. Te obsequiaba la misma barra de jabón sin marca todos los años. ¿Te acuerdas de mi último discurso? Ja ja ja... aún me río. Me paré y dije:

—Buenas noches, les quiero comunicar a todos los presentes que esta noche les brindaremos caldo de gallina, como plato de entrada; y carapulcra con sopa seca, de segundo plato. Repartiremos vino y cachina. Pueden beber moderadamente. Claro, moderado es un decir. Cuando el licor es gratis, ustedes se embriagan a su gusto...

En ese momento sentí que me pateabas ligeramente los tobillos. Tu intención era que cambiara las frases que florecían en mi subconsciente. No paré mi discurso. Era el momento indicado para cantarle sus cuantas verdades a esos caraduras que traían la ferocidad del hambre atrasada. En mi cuerpo se encarnó un ser justo que peleaba por el calentado del día siguiente. Muchas veces mis hermanos y yo raspábamos las ollas mientas ellos desayunaban tranquilamente.

—hoy van a tener que llevar su recipiente vacío. Por favor, tengan la amabilidad de no atreverse a pedir comida. Los que están acostumbrados a repetir, les comunico que el restaurante de la esquina está abierto hasta las dos de la madrugada. Los precios son baratos, y dan un vaso de chicha de refresco.

Me querías ahorcar. Luego recapacitaste y agradeciste mi atrevimiento. Cuando terminé de hablar, nadie aplaudió. Nadie me felicitó. (Juro que me estoy riendo) Mis tíos te dijeron que yo era un sobrino irrespetuoso. Sus voces tejían coronas adelantando mi exclusión de la consanguinidad. Se sintieron ofendidos y no me volvieron a dirigir la palabra. Para la falta que me hacían. Me daba lo mismo si me hablaban o no. Miserables, que ni un consejo me regalaron, mucho menos frases de afecto.

Madre, tú para mí no has muerto. Leí una vez que cuando las princesas incas se iban a casar, los pretendientes tenían que pedir autorización a los muertos. Los muertos daban el visto bueno para llevar a cabo la boda. Los muertos tenían sus propias casas, sus terrenos, sus animales... la mayor parte de las cosechas se la brindaban a ellos. Aunque ya no estaban físicamente, eran considerados parte de la familia. Los muertos pasaban por el proceso de la momificación. Cuando los incas marchaban a la guerra, ellos llevaban en Andas a sus muertos. Sus enemigos sentían pavor y claudicaban o huían sin pelear.

Con esto te quiero decir que yo a diario vivo una guerra. Esa guerra la gano por el simple hecho de contar contigo. ¿No hay guerra? Perdón, madre, sí la hay. En esta sociedad, a nosotros los pobres nos empujan a una guerra. Antes, los gladiadores romanos eran esclavos. Los metían en un coliseo y les soltaban los leones. Algunos gladiadores lograban sobrevivir, otros no. Eso era una guerra para los esclavos. A nosotros los pobres nos tiran a que nos devoren los leones: los leones del hambre. A diario tenemos una guerra contra el hambre.

Los políticos buscan esclavos para eternizarse en el poder. Usan las promesas como mecanismo de distracción; regalan víveres una vez cada cuatro años a los desfavorecidos. Aseguran que acabarán con los ricos para que exista igualdad. Es así como van creando esclavitud y hambre. No puede existir igualdad entre los seres humanos. Dios creó el día y la noche, el sol y la luna, los ríos y los mares... y de esa manera, no existe igualdad; incluso entre los animales de una misma especie no hay uniformidad. Los esclavos no tienen derecho a la propiedad, por eso, no pueden rebelarse contra el hambre. El único esclavo que tuvo derecho a su propiedad fue Espartaco. Se rebeló contra sus opresores, los romanos. Estos crucificaron a los seguidores de Espartaco. La propiedad de nosotros los pobres son los libros. Creo que el libro es el remedio para curar los males de la pobreza. Todos los medios de comunicación alejan los libros de los pobres; los alejan con sus programas de entretenimiento, alimentando sin escrúpulos las bajas pasiones de nosotros, los mortales. Y convierten en personalidades a actores, cantantes, jugadores de fútbol. En un pueblo instruido, las personalidades desaparecen. Nos quieren tener como monos obedientes, imitadores de una pobreza que comenzó con los conquistadores, desde el inicio de la humanidad. Hoy todavía existen colonizadores: el capitalismo, el neoliberalismo… siguen siendo los grandes invasores, que sacan al campesino del campo y los llevan a los cerros, a que vivan en chozas o a que emigren a otros países.

Madre, el hambre no ha podido matarme gracias a la lectura. En mi mochila de trabajo, aparte de mis herramientas, cargo un libro. Los intelectuales sienten temor cuando ven que un trabajador de construcción lee libros. El pobre, hasta sus palabras están subordinadas. Es que muchos de los letrados trabajan para los gobiernos, y sus palabras no se pueden objetar. De esa manera los que no leen se mantienen prosternados y encadenados ante esos misántropos. La política corrompe y degrada a la cultura. Los políticos promulgan leyes para servirse a sí mismo.

Madre, reconozco que te molestaste conmigo por esas dos semanas que dormí en la calle. No quiero que te enteres. Te dejo. Todo me está yendo bien".

Yo pensé que era solo el hindú que abandonaba todos sus bienes para salir a caminar sin rumbo en busca de la verdad. En la India, ellos son considerados sabios. Son respetados; la gente les regala comida, agua, y ropa. Acá, yo andaba con mi maleta. Mi verdad era que no tenía dinero ni lugar donde dormir. Sí que fue una dura experiencia. El primer día, me lo pasé, aún en la noche, caminando por Boulevard East. Amanecí con la barriga vacía y las carnes desabrigadas. Tenía los dedos entumecidos y morados, mis músculos temblaban de escalofríos, me puse a saltar para que mi cuerpo recuperara su temperatura. El día anterior había caído

nieve, y las calles parecían bloques grandes
de hielo que flotan a la deriva en el mar. Lo
único tibio era el humo que salía por mi
acatarrada boca .

Me compré dos sándwiches de a dólar
y una botella de Cola loca. El borborigmo en
mis tripas me preocupaba, mis tripas
ayunaban, a veces tragaban saliva. En todo
momento daba gracias a Dios. Sabía que
estaba pasando por una prueba. También le
rogué que no prorrogará demasiado sus
pruebas, no estaba en condiciones de esperar.

Recuerdo que a las tres de la mañana,
ya estaba parado en la agencia de empleos.
Abrían a las cinco. A esa hora encontraban
los perfiles de personas que parecían haber
sido desenterradas por frías manos de
arqueólogos. También ellos hacían fila para
conseguir trabajo. El primer día no encontré
lugar para ducharme. Me sentí asqueroso.
Estaba acostumbrado a bañarme dos veces al
día. A la noche siguiente, a las dos de la
mañana, le consulté a unas siluetas abandonadas al olvido que como yo caminaban
sin rumbo, por servicios higiénicos. Me
dijeron que entrara escondido a las casas

abandonadas. Yo le tengo fobia a la oscuridad, e ingresar a esos lugares tenebrosos, qué va. De solo imaginarlo sentía las garras de satanás sobre mi músculo trapecio, y este me decía, "bienvenido a mi hogar, Jaime. Siéntete como en casa". ¡No! Preferí buscar un restaurante y pedir prestados los servicios higiénicos a tener una cita a ciegas con el indeseable.

Tuve suerte de que al lugar a donde me enviaron a trabajar al otro día tenía ducha. Yo cargaba mi toalla y mi jabón. Apenas bajé de la van, corrí a cepillarme los dientes y a ducharme. Después de descargar camiones por ocho horas, lo único que deseaba era acostarme en una cama con sábanas blancas y dormir. Extrañaba abrigarme con una frazada con perfuma a suavitotel.

El segundo día, encontré una lavandería que permanecía abierta al público las veinticuatro horas. Contaba con veinte dólares. Saqué todos los bolsillos de los pantalones y sacudí la ropa, esperando ver brincar algunas monedas.

Gasté cinco dólares lavando mis trapos. Hablé con la persona encargada del lugar y le pedí permiso para quedarme toda la noche en la lavandería. Le expliqué que por el momento no contaba con un lugar donde dormir. Su amabilidad se expandía millas adelante de los términos de generosidad que yo esperaba. A las doce de la noche, junté tres sillas y me acosté sobre ellas. Dormí cómodamente, bajo las circunstancias. Claro, mis costillas me dolían, pero al menos no dormiría a la intemperie. Al tercer día, tenía un evento de poesía. Salí del trabajo y fui a la lavandería. No estaba la chica que me había dado posada la noche anterior. *¡Ay, Dios! No me abandones*, rogué en mi mente. Le pregunté a una señora de unos cincuenta años, de cara bondadosa, ojos acaramelados, y con desmedido volumen en sus carnes traseras, si podía quedarme en ese lugar. Me dijo que no y me apresuró a que abandonara la lavandería o llamaría a la policía. Imaginó que yo era un individuo largo de uñas, de malas costumbres. O quizás ella era una de esas damas de nalgas prominentes que piensan que todas las miradas masculinas se concentran en sus atributos.

Seguí caminando y encontré una casa llena de basura, madriguera de mapaches. Olía a orín de zorrillo y gato. El lugar estaba habitado por sombras de desamparados sin rostros, sin nombres, que permanecían en ese hospedaje esperando su resurrección. En las mañanas entraban los rayos del sol a devorar esas sombras. Sacudí el polvo de un pedazo de madera, me paré sobre ella, me puse ropa limpia, y dejé mi maleta bien oculta en un rincón. Esperé a que la calle estuviera vacía y salí sin que nadie me viera. Al menos eso pensé. Siempre la calle está llena de gente, y hay ojos que te siguen a todas partes.

Al llegar al evento, noté la felicidad de los escritores, sus vestimentas sin arrugas y perfumadas. Sentí envidia por la cama en que dormían. Envidia de la cama, no de ellos. Contemplaba las sonrisas de esos monolitos de la poesía, y advertí que me ignoraban. Yo escuchaba sus melosas facundias. Lo que me llamó la atención fue el ego que poseían, más la chispa encendida de sus chismorreos. Llamaron mi nombre. Mientras me encaminaba al escenario, pensé en mis pertenencias escondidas en esa casa abandonada. Luego, sentí miedo. Mis nervios temblaban como hierbas sacudidas por el viento. Las miradas de los francotiradores de las letras me auguraban una desafortunada velada: miradas de profesores, escritores, poetas, filósofos, poetastros, filosofastros. Yo confiaba en mi poema. Mi poema me salvaría del juicio final en el que me encontraba. Además, jamás conocería el sabor de los aplausos si no apreciaba el sabor de los abucheos. Agarré el micrófono con naturalidad ajena, como si el espíritu de un famoso poeta se apoderara de mí.

Recité con hambre. Recité con mis tripas, con mis cabellos mal lavados. Recité con mis medias rotas, con mis zapatos dos números más grandes que mis pies. Recité con el cuerpo adolorido por dormir sobre los cartones en sitios lúgubres. Recité con mis ojos, con mi resfriado. Sentí que la poesía era un órgano de mi cuerpo, y que nadie podría quitarme lo que Dios me había dado. En aquella velada logré alcanzar al Omnipresente con mi imaginación. Algo divino me ordenaba que dominara el escenario. Todas mis expresiones físicas estaban llenas de poesía.

Terminé de recitar el poema y algunas personas se pararon a aplaudir. Agradecí a la concurrencia, y miré la hora en mi celular. Eran casi las nueve de la noche. Me alejé lentamente sin que nadie se diera cuenta. Fue fácil escabullirme. No notaron mi presencia. En menos de dos minutos gané la calle. Estaba feliz. A nadie le daría el derecho a que interrumpiera esa felicidad. Ningún poder externo lastimaría mis pensamientos. No lo permitiría. Eso pensé hasta que llegué a la casa abandonada y no encontré mi maleta. Fui a otra casa, donde dormían unos desconocidos que siempre estaban ebrios de porquería barata. Vi un tipo mofletudo y ventrudo, con un prominente corte en su mejilla derecha (ese corte infundía pavor), y en su verbo un arsenal de chavetas y cuchillos. Al costado de él estaba mi maleta. También un vaso de sopa Macuchan sobre ella. Me acerqué y le pedí por favor que me regresara mis pertenencias. Con voz endiablada y atufada por el olor embriagante a hierba, me gritó de una forma tal que hasta la raíz de mi cabello empezó a temblar.

—¡Qué te pasa, hijo de puta! —esta maleta me la encontré.

—Es mía. Yo la dejé guardada en la otra casa.

—Entonces, ¿quieres que nos agarremos a vergazos?

—Yo solo quiero mi maleta. No busco pleitos con nadie.

Se paró y me empujó. Caí sentado sobre unos ladrillos. Me quedé inmóvil, sin decir palabra alguna. Mis ojos eran los únicos que se movían en mi lánguido rostro. No estaba dispuesto a que se apropiaran de mis cosas tan descaradamente.

Se pusieron a beber. Yo les contaba las cervezas. No comían mientras bebían, por lo tanto, se embriagaron rápido. El ventrudo se paró a orinar, enseñándome su miembro. Yo seguía sin moverme. Hice un estudio minucioso de sus porcinos movimientos, escuché que se sofocaba, le faltaba la respiración. No tenía resistencia. Si nos íbamos a los golpes, él se cansaría en unos cinco minutos. Pero, si me conectaba algún volado, me pondría a dormir al instante. El tipo pesaba unas doscientas veinte libras. Yo, ciento cincuenta; contando con los dos panes con mantequilla que me había comido en la tarde con la intención de calmar cualquier vano apetito.

Me hice el dormido. Vi al rato que se paró a orinar por segunda vez. Me dio la espalda. No lo pensé dos veces. Tomé el impulso que un carnero toma para embestir a una vaca, me abalancé sobre él, y golpeé su cintura con mi hombro. Cayó de pecho en el suelo. Lo agarré a puñetes. Creo que le di cincuenta puñetazos sin parar. A su amigo el licor lo tenía viajando por el espacio. Por si acaso, le di una patada en los huevos. Pero solo por si acaso. Estaba tan sedado que no hizo gesto alguno. Agarré mi maleta y me fui a dormir afuera de una iglesia.

Así pasé algunos días.

Un sábado me llamó mi hija. Me dijo si quería caminar un rato. Ella no sabía el vía crucis que estaba pasando. Tampoco le contaba mis tormentos. Los hijos no tienen por qué cargar con el sufrimiento de sus padres.

Fuimos a una conocida tienda de comida rápida a comprar *onion rings*. Al entrar, avisté a dos compañeros que vivían en la calle al igual que yo. Uno de ellos se acercó y dijo que estaban demoliendo la casa donde se pasaba la noche. Metió la pata. Mi hija me miró y me preguntó si estaba durmiendo en la calle. Lógicamente, lo negué todo inventando tiernas mentiras. Ella no se comió el cuento. Sentí defraudar a mi hija. Lloré de impotencia. Esas lágrimas internas, las que más duelen, esas que no se reflejan en el rostro y necesitan tratamiento sicológico . Esas que buscan estar solas para vaciar su caudal. Me embargó una vergüenza que yo desconocía. Me abrazó. Luego seguimos caminando, hablamos de sus estudios, de sus pinitos amorosos. Después de caminar cerca de dos horas, busqué la excusa de la limpieza de mi cuarto. Ella se ofreció a ayudarme pero rechacé su ayuda, no sin antes tratar de convencerla de que yo no dormía en la calle; por supuesto, no me creyó. Me despedí. ¡Mierda, me dolía el corazón!

Decidí no volver a ver a mi hija hasta estar en una mejor situación. Dolía no responder sus llamadas. En sus mensajes, se leía: "papá, te he estado llamando pero creo que tienes todos los minutos de tu vida ocupados y no usas uno de esos minutos en llamarme. Oye, cara de poto, llámame; ¿o ya te has muerto? Si te moriste, avísame para ir al tono, ja, ja, ja ja. Espero saber de ti, que tus sentimientos no se vuelvan fósiles, chau, cara de poto".

Prefería soportar el dolor de no verla, a que ella se sintiera triste al verme en esas fachas.

Madre, dicen que el destino ya viene escrito; y que nadie lo puede cambiar. Desde que nacemos traemos un destino. La verdad, estoy contento de que tú seas mi madre. Imagínate que los hijos antes de nacer tengan que elegir a sus padres. Eso hubiera sido terrible, ¿no crees?

Faltaban solo tres días para mi cumpleaños. Ya tenía el dinero para rentar un cuarto. Me contrataron para botar la nieve de algunas casas, y junté quinientos dólares. Me prometí pasar mi cumpleaños acostado en una cama esponjosa. También estudiar una lista de palabras que había anotado en las tertulias literarias, buscar su significado, hacer oraciones y practicarlas unas cien veces para no olvidarlas. Extrañaba la cama. Particularmente, creo que la cama es el invento más maravilloso que ha creado el hombre. Es tan maravilloso que en ella puedes encontrar los sueños que la mayoría de las noches esperan por ti. Claro, a veces también se atraviesan unas que otras pesadillas.

A mí constantemente me visitaban unas almas malas que me estrujaban la garganta. Yo me enfrentaba a ellas con rezos. Jesús siempre me sacaba de esos momentos tenebrosos. Jesús me sonreía en mis sueños, aunque la Biblia dice que nunca sonrió, o los evangelios no se preocuparon de recoger su risa. Él murió de una forma tan fea, para regalarnos algo hermoso, muy diferente a los dioses de la mitología griega. Ellos muy preciosos, y cometían crímenes horrendos.

Yo vivía en la 45 Street. De lunes a viernes caminaba hasta la 29 St. a tomar el bus al trabajo. Me gustaba competir con los transeúntes que al igual que yo salían a las cinco de la mañana a ganarse el sustento. Yo era el más veloz de la Bergenline Avenue. tengo la sangre politeísta de los chasquis, a eso le debo mi rapidez. Yo competía con todos los caminantes de la avenida, y no tenían idea que un loco andaba midiendo sus pasos. Mis preferidos eran los que salían con el tiempo justo a tomar el bus. A todos les daba dos cuadras de ventaja y a todos los pasaba. La rapidez de mis pies hacía levitar mi cuerpo. Remaba contra el aire. El alba me esperaba con un triunfo: el despertar todos los días ya era un triunfo. El tener salud, ya era un triunfo. Era imbatible. Yo vivía emocionado de mis logros. Mi récord: dieciséis cuadras en siete minutos.

Vivía confiado. No existía nadie que pudiera ponerme en aprietos, ni siquiera los nómadas del período prehistórico: Mioceno, Plioceno, Paleolítico... que corrieron hace millones de años por estas mismas tierras persiguiendo animales. Mantuve ese récord por cinco años consecutivos. Los que me ponían a prueba eran hombres y mujeres de bronce que salían con hambre al trabajo; los que no desayunaban; los que no les alcanzaba para pagar sus rentas; los que la responsabilidad los consumía. Ellos tenían familias en sus países a quienes les enviaban dinero todas las semanas. Quizás, por eso, yo los vencía. Caí en el triunfalismo. Subestimé a una mujer de unos treinta y cinco años. Le di tres cuadras de ventaja. Ella mantuvo esa distancia hasta llegar al paradero, pero por más esfuerzo, no pude alcanzarla. Intenté hacer trampa, correr era una opción. La deseché. *Un mal día. Todos lo tenemos,* eso pensé. Al siguiente día, le di dos cuadras de ventaja y sucedió lo mismo. No lo podía creer. Estaba a punto de perder el título ganado con esfuerzo y sudor. No dormí pensando en mi contrincante. Me levanté a las tres de la mañana, hora perfecta para la preparación mental de mis planes estratégicos. Agarré un papel y un lapicero, dibujé a la mujer y me dibujé a mí delante de ella. La idealicé. Me inspiré en la pintura rupestre: esas pinturas que dibujaban los primitivos en las cuevas. Dibujaban hombres cazando animales. La finalidad de esos dibujos era atrapar el espíritu de los animales. Una vez que obtenían el espíritu, se les hacía más fácil obtener el cuerpo. Me dibujé diez veces adelante de la mujer, con las manos levantadas en señal de éxito. Idealicé mi triunfo.

Salí a esperarla al frente de la vereda. De esa forma, al sonar del disparo, partiríamos iguales. Ella por una acera y yo por la otra.

Llegó sin saber el punto de partida. Empezó la caminata. Me concentré. No miraba a los costados, no saludé a las personas que encontraba en el camino. Fui al límite de mis fuerzas. Sofocado, sudoroso, jadeante. Faltando dos cuadras, me sentí ganador. Con la mirada busqué a mi rival, pero no la ubiqué tras de mí. ¡Carajo! Me llevaba una cuadra de ventaja. No me había servido de nada idealizarla. Perdí la caminata. Perdí mi corona. Nunca más volví a competir. Me retiré con una derrota. Esa extraña mujer batió mi récord. La Malinche mexicana me venció con una diferencia muy amplia. Llegué al extremo de buscar una calle aledaña para no encontrarme con la indígena Olmeca. Intuí desagradablemente que yo conservaba partículas del Adán machista que atribuyó el pecado eterno a Eva.

Me avisaron que rentaban un cuarto en la 38 St. y New York Avenue. Toqué el timbre de la casa donde rentaban la pieza. Casualidad de la vida, esa casa le pertenecía a un pastor que se paraba en una esquina a hablar a los transeúntes de la palabra de su Dios.

—Tú eres el vagabundo que siempre anda perdiendo el tiempo en las calles —inquirió él.

Sus frases sonaron como si los mendigos no formábamos parte de la inteligencia de Dios al crear el mundo.

—Soy esa persona —le respondí.

Él escondía su astuta malicia bajo apariencias agradables de hombre inmaculado. Parecía una figura arrancada del cuadro de la última cena: el tono de sus primeras palabras auguraban una confrontación.

—No me gusta rentar cuartos a gente alcohólica, que fuman hierbas apestosas.

—Yo no soy alcohólico ni fumo, señor.

—Debes acercarte a Dios para que perdone tus pecados.

—Señor, estos pecados no son míos. Estoy pagando los pecados de desconocidos.

—Antes de ser pastor, yo bebía, fumaba, era infiel… luego, Dios perdonó mis pecados.

—Bien por usted, y por su marido, señor.

—¡¿Qué?!

—Oh, disculpe, bien por su esposa.

—Ahora tengo casa, mis hijos siguen el buen camino. Soy un hombre nuevo, gracias a la gloria de Dios.

—Usted es vil, sin escrúpulos e inconsciente, señor.

—¡¿Qué dices?!

—Lo que escuchó. Usted no quiere a sus descendientes. Es injusto con ellos.

—Yo quiero a mis hijos. ¿Qué tonterías estás diciendo?

—Usted no los quiere, señor.

—Cállate ya, vagabundo apestoso.

—Más apesta su conciencia, señor. Su conciencia de mal padre y pecador.

—Dios perdonó mis pecados. No soy pecador.

—Sí, lo es. Y no todos los que tienen la boca llena de aleluyas son santos ni dueños de la verdad.

—¿ De qué verdad hablas?

—De que usted es un ser malvado, un diablo disfrazado de pastor. El diablo ha evolucionado; ya no tiene cuernos ni cola, y cree ser el salvador de la humanidad.

Le dejé saber al pastor que al diablo le era imposible darse cuenta del amor que tenemos todos los seres humanos en el corazón (hasta el más malvado siempre tiene algo de bondad).

También le hablé sobre el segundo libro de la Biblia, éxodos, en el cual relata sobre los pecados que cometieron los que adoraron al becerro mientras Moisés se encontraba subiendo el monte para recibir los mandamientos de Dios. Dios quiso castigar a los pecadores. Moisés abogó por ellos. Dios los perdonó, pero les dijo que esos pecados los pagarían sus hijos, nietos, tataranietos… Es injusto que alguien que empieza a vivir pague los pecados de otros.

El pastor se quedó desesperado buscando algún argumento para enfrentarme. Antes de irme, le dije: "El día que todas las ovejas se vuelvan negras y desconfíen de los pastores, ustedes van a tener que trabajar y no vivir del diezmo de sus rebaños". A lo que respondió: "Soy ciudadano americano y el gobierno me mantiene". Nos veremos en el juicio final. Supe entonces que le dolieron mis palabras. Lo ví como un desesperado escorpión negro, que al verse acorralado por el fuego, se pica con su propio aguijón.

Sé que la existencia humana está llena de conflictos, y el hombre necesita liberarse de ellos. Es por eso la proliferación de pastores y sectas que se aprovechan de desesperados individuos que encuentran en la fe el camino más práctico para liberarse del infierno. Ojalá que el mundo nunca se libere de Dios; y que ninguna ciencia logre arrancar a Dios del corazón de los hombres, ni las religiones se extingan. De lo contrario caeríamos en la barbarie social. Los humanos no somos seres confiables.

Seguí buscando renta después de defender mi honor. Las personas cuando tienen un poco de efímero poder, te quieren expulsar de la sociedad. Mestizos igual que uno, con más estudios y menos educación. En los ceros han encontrado los cálculos erróneos para morir de avaricia. Sonreí para llenar todos los espacios de mi rostro de felicidad, y no dar motivos a que una tristeza me viniera a conquistar con su poder. Tenía que conservar la alegría, vivir con alegría. Mi alegría adornaba mis hermosos trajes ilusorios de la vida, de los siglos. En esta danza cósmica, yo era la teoría heliocéntrica de Nicolás Copérnico. Mis pies orbitaban alrededor del sol; y yo quería que mis pies se detuvieran en algún cuarto, que encontraran una cama para poder dormir. Lo deseaba con todas mis ideas.

Me senté en un parque. Me saqué los zapatos, las medias. Mis pies estaban hinchados. La incertidumbre se apoderó de mi hemisferio derecho. Me estaba quedando dormido, cuando escuché que alguien me hablaba.

—¿Descansando, paisa? —me dijo un hombre, bajo de estatura.

En el rostro llevaba dibujadas las inclemencias de las noches frías. En sus zapatos, las dimensiones de los parques de la ciudad. En su cuerpo, los huesos derretidos de todos los muñecos de nieve. Sabía inspirar simpatía en las personas. Al menos a mí, me inspiró simpatía.

—Sí, estoy descansando —le respondí.

Fue directo conmigo. Esperaba la noche para entrar a dormir en un edificio. Me dijo que allí había calefacción.

—Yo también estoy en busca de un espacio.

—Pues, vamos allá.

El mendigo, sin tener una propiedad, fue el hombre más bondadoso del mundo. Me ofreció un lugar en la tierra donde yo podía descansar. Quizás en la vida pasada, fue el dueño de ese edificio. Tal vez, allí había un enorme árbol y él era un primate que apoyaba su cabeza en la corteza de una secoya de más de cien metros.

—¿Cuál es tu nombre —me preguntó.

—Jaime, Tú, ¿cómo te llamas?

—Mi nombre es Juan. Mucho gusto, soy de Guatemala.

—Yo soy de Perú.

Algo increíble: un Inca y un Maya entablando una amistad que no se dio en épocas pasadas. Esto me hizo pensar que la "Leyenda Negra" de Bartolomé De las Casas describió la realidad de los malos tratos de los conquistadores hacia los naturales. Ese día se encontraron dos naturales y entre ellos se estaban tratando de apoyar.

Le pregunté cuánto tiempo llevaba viviendo en la calle, al principio, no quiso responder, luego, me dijo que por diez años, y que le era imposible rentar un lugar, el dinero no le alcanzaba, aparte, pagaba los estudios de sus hijos en su país. Prefería sacrificarse él, a dejar a sus vástagos sin educación. Al hablar de sus hijos vi que le brillaban los ojos cómo dos lámparas que se prenden en la penumbra.

Me di cuenta que se emocionaba.

Yo lo escuchaba atentamente sin perder ni un detalle; tampoco dejaba que se apagará la felicidad en el cosmos de su rostro donde las siluetas de sus hijos jugaban a las escondidas, como juegan las estrellas en las noches. Me contó que su hijo menor había salido con la locura de querer ser doctor, y él no podría cubrir los costos de esa carrera. Trabajaba día y noche en dos agencias de empleo, lo que ganaba no era suficiente; se tendría que privar de algunas cosas, lo irónico era que en su cerebro ya había hecho recorte a todos sus gastos.

En él, yo me veía a mí, el mismo orgullo que él sentía por sus hijos, yo sentía por mi hija.

Le dejé saber que mi hija ya vivía en la tierra prometida, en dónde el inflexible destino me mantenía deambulando; igual que él.

Conversando se nos pasó la hora. Daban las diez de la noche. Fuimos al edificio, y se sentía un agradable calor a la entrada. Puse dos cartones en el piso y me cubrí con una chompa de lana. Pronto me quedé dormido.

Desperté a las cuatro de la mañana. Intenté dormir una hora más, con denodado esfuerzo: conté ovejas, elefantes, ranas... pero el sueño ya estaba afuera de una panadería, observando un pan cubano.

Saqué un libro que cargaba en mi maleta, leí veinte páginas. Estaba por ojear la página veintiuno (siempre me preocupé en llevar una pobreza bien educada), cuando oí unos pasos que bajaban por la quejumbrosa escalera. Era una inquilina del edificio. Nuevamente sentí vergüenza, al no tener un sitio decente dónde pasar la noche.

Nunca me habían dado los buenos días de una manera tan cordial: la señora empezó a gritar, que si no nos íbamos, nos echaría agua helada. Volvió a subir las escaleras.

Le pasé la voz a Juan, y él respondió que estaba acostumbrado a sus amenazas, pero jamás las cumplía.

Yo presentí, sin embargo, que en ese momento sería diferente. El enojo de la mujer auguraba un escalofrío epiléptico. Salí del edificio y, apenas cerraba la puerta, escuché el golpe seco del oleaje de una tina de agua que caía sobre Juan. El pobre de Juan se arrebujaba en su propia piel. Su alma y su ángel de la guarda aun se encontraban en postura supina, maldiciendo los resabios a los cuales Juan los acostumbró.

Quise reírme de la situación. A Juan no le dieron tiempo a cumplir con el ritual de bostezar ni de estirar los brazos. Su corazón, sus cabellos, sus calzoncillos... salieron con espasmos por esa manera tan abrupta de arrebatarlo de los brazos del dios griego encargado de llevar los sueños a reyes y emperadores.

Me senté en el parque. Él llegó buscándome; el agua aún se escurría por su melena, como cuando una garua persistente se desliza por las ventanas de una casa. Le presté un pantalón y una camisa. Aunque hice arduos intentos, no pude contener la risa.(como en el relato del Popol Vuh, donde la abuela no pudo dejar de reír al ver a sus dos hijos convertidos en monos) Me miró y se unió a mis festejos. "No hay que perder la risa", le dije, "si pierdes la risa, perderás el noventa por ciento de la felicidad".

Era sábado. Me quedaba un día para encontrar renta. Juan se ofreció a darme una mano. Después de recorrer por tres horas las calles de la ciudad, volví al parque. A los dos minutos llegó Juan.

—No he encontrado nada. Descansaré unos minutos, luego seguiré buscando —me dijo.

—Está bien. Muchas gracias.

—Míralo por el lado positivo: al no tener un cuarto, no tienes la responsabilidad de pagar la mensualidad. Es tedioso limpiar el baño, la cocina, la sala, el comedor...

Creo que Juan también deseaba un lugar tranquilo donde vivir.

La gente con sus gestos maldecía mi existencia. Uno de ellos me tomó una foto con su celular: por si se le perdía algo de su auto. Frente al parque había un aparcadero, y esa foto era el perfil del delincuente. Tuvo el cinismo de espetar que me buscaría así le falte aire a la llanta de su carro.

A las diez de la mañana, Juan se daba una siesta en un banca de cemento. Nuevamente, preparé mis pies: les hice un masaje a mis tobillos, y quedé listo. Fui por esas veinte cuadras que me esperaban. Anoté un número de teléfono, y llamé. Solo rentaban el cuarto a mujeres. Insistí, pero no pude ablandar su coraza de hierro. Retomé la rutina de mis días pasados. Conocía a todas las ardillas del parque. Ellas me miraban celosas: yo me adueñaba de su hábitat por largas horas.

Me dirigí al *Salvation Army*. Allí da-ban comida gratis.

Me puse mi capucha y unos anteojos para pasar de incógnito. Hice cola por un plato de arroz con frijoles. Al frente del *Salvation Army* vivía mi hija. Ella solía dejar ropa usada en aquel lugar. Agradecí a los que me brindaron esos alimentos. Mi estómago no sufriría de ardor por el resto del día. Mientras caminaba, miraba los rostros de los desconocidos que se cruzaban conmigo. Algunos de ellos mantenían un idilio con la vida; otros, mantenían un idilio con la muerte. Los que cultivaban el idilio con la vida se agarraban de la mano de sus parejas. Ellos encontraban el paraíso en cada paso que daban. Sus miradas fértiles, sus sonrisas fértiles, sus palabras fértiles… todo lo bueno se reproducía en aquellas personas.

Los que mantenían idilio con la muerte, no producían felicidad. Ellos mismos estaban forzados a no consumir la felicidad que producían otros. Ellos producían tristeza y consumían tristeza. Cargaban un muerto en el cerebro. Al tener un muerto en el cerebro, uno tiene un muerto en el corazón, un muerto en las palabras, un muerto en las miradas. Los músculos de sus rostros no conservaban la cronología ensanchada de una sonrisa. Vivían engañados por las cosas materiales. Sus logros los asociaban con un auto nuevo, un celular de último modelo, ellos no eran dueños del aparato de comunicación, el aparato era dueño de sus vidas. Soñaban convertirse en peces grandes y engullir a los pequeños. Marineros a la deriva que, rodeados de agua, mueren de sed. Seres condenados, amarrados a resistentes hilos. Los hilos que el diablo jalaba a su antojo, llevando a esas figurillas hechas de carne y hueso al Averno.

Es triste observar la pobreza humana representada en actores de una vida fingida y superficial.

Dejé de mirar a las personas. Me percaté del aviso de un abogado de inmigración. Su oficina se ubicaba en el segundo piso. Me decidí y fui a preguntar al abogado si podría encontrar una solución a mi caso. Anteriormente había gastado unos cuatrocientos dólares en consultas, pero ninguno de ellos prendió la lumbre tenue de la ilusión.

Anoté mi nombre en la lista de espera: yo era el número ocho. La persona antes que yo, se llamaba José Alegría. La que iba después de mí, se llamaba Soledad Malpartida. Otra vez me encontré con la misteriosa dualidad.

Escuché hablar a una pareja del mismo género. Ellas discutían por la espera. Ambas mascullaban y se mostraban el dedo medio en las narices de cada una. Creo que reñían por el olor a pescado que llevaban impregnado en sus uñas postizas. *Las intimidades no se hacen públicas*, pensé, *se arreglan en casa.*

Yo no tenía problema en esperar. Suerte la mía si no me atendían en una semana, la silla era de un material esponjoso. Mis nalgas agradecían el confort; además de la temperatura agradable, agua gratis, y unas revistas en español con las novedades de los artistas. Era sin duda un lugar perfecto para leer Pedro Páramo.

Esperé por dos horas. Al fin mencionaron mi nombre. Entré a la oficina. El abogado atendía a un muchacho de unos veinticinco años, el cual padecía de crónicos temblores en sus nervios. Hablaba con una rapidez como si quisiera liberarse de algo que lo sofocaba; con sus zapatos golpeaba el piso: por cada segundo estrellaba dos veces la suela de su zapato en las losas. El abogado miraba sin parpadear, movía la cabeza de un lado a otro, como buscando respuestas favorables en su oráculo. Al principio, no pude escuchar la plática entre el abogado y el muchacho...

Atrajo mi atención un par de Románticos modernos que también esperaban por el abogado. El hombre le hablaba al oído a la mujer. Al hablarle, le hacía cosquillas en el lóbulo derecho. Debido a esa erupción volcánica, oleadas de suspiros humedecían a la diosa de la carnalidad. La mujer se veía desprotegida por el roce de la espeluznante y acalambrada lengua bífida del erótico animal. El hombre quería polinizar. La naturaleza estaba abierta para recibir los hidratos de polen. Sus hormonas alteradas. Hasta sus almas tenían sus alientos en flamas , apretaban sus dedos, hacían intercambios prolongados de saliva. Él era un potro que quería cabalgar en la geografía erótica de la arrecha dama. Ella anhelosamente palpaba el flácido bulto del alazán. Los libidos dedos del vulgar alazán escalaban pausadamente hasta llegar a esas dos montañas. Allí, donde la tierra crece y, como efecto, muchas veces el rio se desborda. Ella tenia los omóplatos relajados, y un oasis de frutas jugosas en el ombligo.

El horrísono sonido de los zapatos del muchacho me alejó de la escena que imaginé, y me pregunté: ¿Por qué ese ser humano mostraba tanta intranquilidad? Parecía un perro atacado por insectos de patas largas que dan grandes saltos y causan molestas picaduras. Me acerqué para escuchar: el muchacho le hizo saber al abogado que el día 24 de octubre tenia que asistir a la corte de inmigración. El abogado le preguntó el delito por el cual fue citado a la corte. Él le dijo que asistió a una fiesta, y al terminar la jarana se agarró a golpes con un desconocido, sin motivo alguno. Al menos fue sincero al decir que se enfrascó en un pleito y sin razón. Nadie se agarra a trompadas por el simple hecho de poner los puños con furia sobre otro. Algo le molestó y quería desahogar esa angustia interior que lo mortificaba.

Condené al muchacho. Me dije, *este bebedor no merece el perdón del juez. El juez haría bien al deportarlo.*

A veces uno juzga a las personas a la ligera, sin darles la oportunidad de defenderse. ¿Cuántas veces hemos sido sentenciados por desconocidos y nunca nos damos

72

cuenta de quiénes eran? Pero esas energías negativas llegan a nosotros y causan estragos en nuestro diario vivir. Él siguió contándole su vida al hombre de leyes; y llegó a decir que su padre fue un soldado del ejercito y que en defensa propia mató a un delincuente que entró a robar a su casa. Nuevamente, lo juzgué. Mis someros pensamientos condenaban al hombre que, al igual que yo, buscaba un futuro en este país. Para mí, toda la verdad que salía de boca del muchacho eran patrañas.

Él prosiguió con su relato: la familia del delincuente mataron por la espalda a su papá; luego, arrojaron su cuerpo a un río. En su rostro no tenía ni una vena con indicios de dolor; es decir, si mataron a su padre, lo mínimo unas diez lágrimas tenían que aflorar, y no se veía venir la lluvia en ese nublado y patético cielo.

¿Acaso guardaba un dolor más grande? No creía que un tipo que se ahogaba en el alcohol, experimentara sensaciones de amor por sus familiares. Luego vi el dolor en una mosca que volaba en una escoba microscópica y aterrizó en un plato de de arroz; la secretaria atrapó a la mosca en una cucharada y lo envió al abismo de su estómago. Hasta la foto de mi madre que cargo en mi billetera sintió dolor. Me hice la pregunta: ¿Por qué el abogado no sintió dolor?

Estudié psicológicamente al abogado. En un nanosegundo me di cuenta de que el abogado a diario escuchaba historias trágicas. Quizás por eso era inmune al dolor. Ya estaba familiarizado con esos casos que a cualquier persona sensible muchas veces arrastraban y de un momento a otro se veía metido en esas arenas movedizas de la conmiseración.

—¿Por qué bebiste tanto? —Le preguntó el abogado al muchacho.

El muchacho levantó la mirada, y en ella se veían dos mundos partidos. Se podía ver una ciudad vacía, sin sus hijos y sin él; se podía ver un te quiero que temblaba de frio en la orilla de otro océano. Se podía ver el castigo de un hombre hacia otro hombre con las leyes; se podía ver un puto beso volado que nunca llega a rozar los labios de la persona que amaba. Y soñaba besarla, soñaba besarla, soñaba besarla.

Me agarré el rostro. Lloré por la vida. Lloré por el muchacho, por el soldado, por el padre del muchacho a quien los delincuentes asesinaron.

El abogado preguntó si tenía hijos. De la boca del muchacho salieron dos astros que iluminaron aquél lugar, luna y sol, alba y ocaso.

—Sí, sí tengo dos hijas.

—¿Vives con alguien que sea residente o ciudadano?

—Vivo con mi hermano y con mi hija mayor, ambos no tienen papeles.

—¿Tu otra hija?

—Mi otra hija, la menor, está con su mamá.

—¿Son separados?

—No, no somos separados. Vivimos separados, pero nunca vamos a estar separados. Ella tiene a la hija menor, yo a la mayor. Las hijas nos mantendrán unidos.

—¿Están divorciados?

—No, nunca nos casamos. Estábamos reuniendo dinero para podernos casar. El sueño de ambos era casarnos de blanco. Teníamos planes y no logramos concretarlos.

—¿Dónde está la mamá de tus hijas?

—Inmigración la agarró en una redada en el trabajo. Pagamos la fianza que le impusieron, y salió con un grillete electrónico en el pie. Ella sufrió mucho. Mi hija mayor tiene doce años; la menor tiene tres.

El muchacho se salteaba de un tema a otro sin preámbulos.

Le hizo saber al abogado que a dos semanas que la deportaran a su mujer, se juntaron en un apartamento que estaban rentando. Decidieron que cada uno se quedaría con una hija. Él era de México; su hija mayor nació en México. Se repartieron una hija cada uno. Su esposa, el amor de su vida, la mujer de sus sueños, su todo, que también era de

México se regresó a su país, con la hija menor.

¡Carajo! Yo lloré por esa familia. Pónganse a pensar el momento de decir adiós y que los hermanos crezcan separados. No jugarán a las escondidas, y, si juegan, nunca se van a encontrar; si se encuentran, algo va a ser diferente. La mayor no le enseñará a hacer las tareas de la escuela a su hermana menor. Habrá dos lugares vacíos en la mesa tercermundista, crecerán con las costumbres e idiomas de países diferentes, la canción de navidad será un dolor constante en el pecho, esas letras sonarán a tortura: "Tú que estás lejos de tus amigos, de tu tierra y de tu hogar, y tienes pena, pena en el alma, porque no dejas de pensar, ¡Ah! Ellos a diario pensarán en estar juntos. En año nuevo, con una maleta en la mano, van a dar la vuelta a la manzana y pasada la media noche imaginarán el reencuentro. En el futuro, a ese reencuentro algo le faltará, quizás la niñez, quizás el amor, o quizás uno de ellos. Y al que esperas que vuelva a casa en Navidad, ya no lo vas a esperar, llegará otro, o llegará otra.

El abogado le comunicó que no veía alguna posibilidad de parar su deportación.

Le recomendó mudarse constantemente de apartamento, cambiar de nombre, no poner la dirección donde él vivía; y que no se agobiara, quizás las leyes le fueran favorables en algún momento. Lógico, cobró la consulta. Qué valentía la del muchacho: soportar y vivir con ese filudo dolor, con ese miedo. La vida ponía fuera de su alcance sus sueños. Salió de la oficina, y lo vi como un viajero sin destino, un hombre que soñó con un mejor porvenir. Se le notaba desorientado. Es triste cuando las cosas no dependen del esfuerzo de uno. Quizás por eso el muchacho apaciguaba su pesadumbre con el licor. Él era un hombre indefenso encadenado a las leyes de otros hombres. Allí me di cuenta de que la felicidad frecuentemente no la poseen los que deberían poseerla.

El abogado llamó a la pareja de calenturientos, que seguro habían hecho planes de engancharse como cuadrúpedos. Les aconsejó que tenían que seguir así, ya que el día de la cita estaba a la vuelta de la esquina. Demuestren que son una pareja. Ustedes no saben en qué momento los pueden investigar.

La pareja conocía hasta los lunares no pronunciados en sus cuerpos, conocían la dimensión de las mordidas; él llevaba en el cerebro la cuenta de todos los vellos que ella poseía en su vulva, incluso los desterrados por el agua caliente.

"No olviden su nombres y sus apellidos, los nombres de sus hijos, fecha de sus cumpleaños"… ellos no sabían nada de eso.

El abogado prosiguió: "Anoten sus comidas favoritas, color favorito, pasatiempo de cada uno de ustedes, sus signos del zodiaco, cómo duermen, tómense fotos en su cama, en los restaurantes, en las fiestas, con sus familiares; tienen que tener una cuenta de banco mancomunada; si poseen propiedades, ambos deben figurar en el titulo; paguen sus impuestos al día, busquen su récord policial, de seguro los van a pedir.

El rostro de la chica era afable, pero un remolino interior la fragmentaba y carecía de esa luz que tienen las personas al sonreír. Su aspecto era forzado. Al verla de cerca, noté la repugnancia, el asco. Ella estaba sentenciada por voluntad propia, por voluntad de la sociedad, a tolerar al cretino que le daría los papeles.

En sus ojos se leía el amor por otro. La melancolía de estar lejos de casa empujaba a la rosa a plantarse en el agua lodosa de los deseos carnales. La consolé con un gesto de hermano. Su mirada se posó a llorar en mis hombros. Le supliqué que se tranquilizara. Él la besó en la boca: beso, preludio de quitarse la falda, desabrocharse el sostén; luego, con el monólogo y la teatralidad de un beso glacial, ella fingiría placer. El nerviosismo de la mujer se traslucía en sus movimientos. Como una flor fastidiada al ser mecida por la aceleración del viento en sentido vertical. Con disgusto se tragaba su propia saliva, parecía que los labios del tipo estaban embadurnados de hiel.

Arrojaba todo lo que él intentaba guardar en el interior de ella. Afuera los intoxicados te quiero, mi reina, mi bebé, mi corazón, mi amorcito, y más afuera las noches de sexo. Así de simple, sexo, sin más palabras: sólo sexo banalizado que no da felicidad al ser humano. Se proponía a futuro no conservar recuerdos del animal en cuestión. Me dolió el dolor de la mujer: todo lo malo que le pase a la mujer me duele. No pude esperar más. Mi cabeza me reclamaba por unas pastillas, por agua caliente, por champú, por unas cosas más que no sabía lo que era.

Bajé en el ascensor. La avenida estaba oscura. Las luces de los postes, las tristes almas que caminaban sin destino se las habían llevado. Miré de reojo mi celular, las seis de la tarde; otro día más a dormir en un lugar lúgubre y maloliente. Burger King se convirtió en mi lugar preferido: por las papas fritas y la Cola loca tenía derecho a usar el baño. Cuando ya estaba dentro del local, observé que el maldito ventrudo me miraba. Me senté a comer. El ventrudo caminó hacia mí, se sentó al frente de mi mesa, y me amenazó:

—Entonces, vos, hijo de puta, te voy a dar unas trompadas que ni tú mismo te vas a reconocer. Te romperé la cara. Hoy te mueres. Te espero afuera. No me importa que me lleven preso, conozco la cárcel. Allá hay comida y cama.

Me quedé paralizado. Los lugares cerraban a las 9:00 p.m. El ventrudo y su amigo se ubicaron a esperarme cerca de la puerta de salida. Pasaron dos horas, y en esas dos horas, el Jaime que tenía miedo ya había muerto. Ahora el Jaime era diferente: tenía más vigor para sentir más miedo. Cuánto habría dado por ser un ser incorpóreo y esfumarme de allí.

Repentinamente, vi a un dios en forma de mendigo que entraba por la puerta, su luz iluminaba mis oscuros temores.

—¡Juan! —le grité.

—Jaime, tengo un número de teléfono. Es un cuarto amueblado. Está listo, esperando por un inquilino, por ti. Y está a cinco cuadras del paradero de buses.

—Gracias, Juan. Dame el número.

—Espera que voy al baño, estoy mal del estómago. He cagado tres veces ya. Me ha hecho daño la comida.

—¿Qué has comido?

—He comido seis diferentes platos de comida: comí el olor de una bandeja paisa, el olor de un lomo salteado, el olor de unos tacos de tripa, el olor de la ropa vieja, el olor de un encebollado y el olor de unos tostones.

Me prometí que cuando todo esto pasara, llevaría a Juan a un buffet, a que comiera todo lo que su estómago pudiera digerir.

—Pendejo, comiste demasiado. Ve al baño, que apestas a muerto.

Yo también apestaba a muerto: el muerto más cobarde del mundo.

El ventrudo se golpeaba las palmas de sus manos y hacía señas con el dedo, como si me cortara la yugular.

Juan regresó del baño, me dio el número telefónico, y le hice saber que la salida estaba bloqueada y que unos cuantos puñetes esperaban por mí.

Le invité unas papas fritas con soda, de esa manera intentaba ganar tiempo. Él me dio una idea. Me dijo que cambiemos la ropa, él usaba gorra.

Yo haría el papel de Juan. Acepté. Supuse que el ventrudo no se daría cuenta. Nos cambiamos de ropa en el baño. Ya estaba por salir, y me entró un coraje. Esto acabaría aquí. No más temor. Le recé al indio Gerónimo que me liberara de ese bisonte que llevaba la longitud de una chaveta en el rostro. Compré dos sándwiches. Yo tenía una chicha morada en botella de vidrio. Hacía tres semanas había leído El arte de la guerra. El ventrudo y yo teníamos una guerra ya declarada.

El libro decía que si conoces a tu enemigo, y te conoces a ti, de cien guerras ganarás todas. Si conoces a tu enemigo y no te conoces a ti, ganarás y perderás algunas guerras. Si no conoces a tu enemigo ni te conoces a ti, corres peligro en todas las guerras. Yo me conocía a mí y conocía a mi enemigo.

Salí, y le di confianza a mi enemigo. Le ofrecí dos sándwiches. Sonrió, y dijo: "desde hoy vas a ser mi perra". Le compré papas, también. Él saboreaba el triunfo. Abrí mi botella de chicha, y me pidió la botella. Estaba esperando esa oportunidad. Ellos nunca me darían alcance en una carrera. Un elefante es más fuerte que un conejo, sin embargo, el conejo en zigzag puede alcanzar una velocidad de cuarenta kilómetros por hora. Tenía ventaja sobre mi contrincante.

El ventrudo me pidió la chicha con una rabia de un diablo bautizado por ángeles. Tenía la botella en mis manos, mis manos tomaron la velocidad de un auto a cien kilómetros por hora, y de un certero golpe estrellé el poto de la botella en el rostro del ventrudo.

Salí corriendo. Mi mano estaba ensangrentada. Era la sangre del detestable. En qué me estaba convirtiendo, pensé. A esos pasos acabaría refundido en una cárcel, o apuñalado en alguna esquina. ¿Qué diría mi madre si me viera haciéndole daño a otro ser humano?

Juan llevó mi maleta al parque. Me contó que la nariz del ventrudo parecía gelatina, lo cual me entristeció. Pero era muy tarde para el arrepentimiento. Llamé por teléfono al número que Juan me consiguió, pero no respondieron la llamada.

Me despedí de Juan. Él se devolvería a dormir en la entrada del edificio. Yo fui a la lavandería. La Guadalupana estaba a mi lado: la chica que una vez me dio posada, se hallaba en ese turno. Se apiadó de mis fríos, mis miedos, mis malas noches. Miedo de no poder volver a ver a mi padre, que sufría de Alzheimer. Siempre me cambiaba de nombre; o traía los nombres de mis vidas pasadas. Sonó mi celular. Era Juan. Lo escuché llorar. A las doce de la noche, escuchar a un amigo llorar, entendí que a veces hay amistades más fuertes que las ataduras de la propia sangre. Acordamos encontrarnos en Boulevard East. Estaba vencido, pero todas las estrellas lo alumbraban.

—¿Qué te pasó, Juan?

—No sé lo que me pasa. No sé qué hago en esta vida. No sé quién soy. No pedí nacer, tampoco me preguntaron. Aquí estoy, soy el nacido que nació por casualidad.

—No digas eso, Juan, pronto tu vida va a ser mejor. Vendrá el cambio.

—El cambio ya llegó para mí.

—¡Felicitaciones!

—No me felicites. Ayer tenía esperanza, hoy amananecí sin ella. Perdí el corazón en mi pueblo, lo perdí.

Sospeché que Juan había recibido unas noticias desafortunadas de su país.

—¡Qué mierda te pasa, Juan! —Las noticias se desintegran cuando son compartidas. Después aprenderás que no siempre las mejores noticias llegan de afuera, al pasar el dolor, las mejores noticias vendrán de adentro.

—Mi hermana me escribió por Messenger. Ella y yo nos llevamos bien. Me preguntó si pensaba volver. Me rodeaba con sus preguntas, como un indio danzando alrededor del fuego.

—¿Qué te ha dicho tu hermana que te tiene aprisionado a una rabia, y te aferras a ella? Todas las rabias lastiman. Mira el sol, a diario se va al ocaso y vuelve a la resurrección. El agua de las quebradas va al mar, luego vuelve en gotas de lluvia a las quebradas.

—Jaime, mi hermana ha enviado a messenger unas fotos de mi esposa. Ella está viviendo con otro hombre en mi propia casa.

—¡Carajo! No sé qué decirte.

—Yo durmiendo en la calle para educar a mis hijos, y que a ella en casa no le falte la comida. He estado alimentando con mi sudor a un mal nacido, ese mal nacido come en mi casa, se coge a mi mujer y duerme en mi cama. No es justo, al principio no le creía a mi hermana, pero estas fotos son convincentes.

—No saques conclusiones apresuradas. Puede que exista un error.

—El único error soy yo. ¿Acaso no eres testigo de que me he privado de comodidades, todo por amor a la familia? Nada bueno he sacado de eso. Solo una maldita traición.

—Es por eso que tu esposa te enviaba exagerados mensajes de amor. Esos mensajes decían que enfrentarían juntos la etapa final de la vida.

—Esta es mi etapa final. Mi tortura final, mi camino final; mira estas fotos.

¡Carajo! Su hermana era una persona intrigante. Había tomado fotos pornográficas en el cuarto, en pleno acto. El tipo era un tiburón hambriento, que olió la sangre caliente y la soledad de ella. Ella, una mujer de hule, la tenían en el aire y la dejaban caer de forma vertiginosa golpeando con brusquedad unas inhiestas venas hinchadas cada vez que bajaba, un grito de placer rompía la imagen hogareña con la que Juan soñaba. En realidad, su esposa gozaba. Ella entre sus dientes tenía un pedazo de lengua con el cual jugaba golosamente. Nadie podía contener la desenfrenada necesidad biológica de la esposa por poseer un hombre, mucho menos el amor pospuesto del individuo que se esforzaba por darles un mejor amanecer a sus hijos.

Él, con ese órgano muscular con el que se identifica el sabor, había tallado los glúteos de ella, como un carpintero talla una madera. Ella tenía la mirada perdida. El sexo vulgarizado latía en cada rincón del cuarto, latía en cada calzón, en cada media, en toda la ropa que ella guardaba en el ropero. A un lado, la toalla desnuda esperaba para arropar el cuerpo húmedo, y atrapar esas gotas perfumadas de desfogues carnales.

Me imaginé a Juan enhebrando una aguja para remendar sus nervios descocidos. Pobre Juan, él era un arquetipo de buena voluntad, un hombre tan noble como la humildad misma. No acepté que me enseñara más fotos. Juan tenía el rostro macilento y una expresión agria. Su corazón, una brasa que le quemaba el pecho. Tenía que llorar. Las lágrimas lo consolaban por momentos. Él se jalaba los cabellos, se golpeaba la cara, rompió su camisa (desgarró la prenda que días antes le había prestado, mi favorita, con la que solía asistir a eventos de poesía).

Un ser engullido por su desilusión. Le di una palmada en el hombro. Las estrellas anda-riegas y juguetonas alumbraban esa escena. Le di otra palmada y respiré profundamente. El aire olía a un adiós. El aire olía a tortillas hechas a manos, olía a pueblos, a aldea, a posadas hospitalarias. El aire trazaba cuidadosamente la ruta de un retorno; traía música, felicidad, bailes. El aire traía la intoxicación de una pasión crónica que le ponía gemidos estériles a unos recuerdos.

Juan levantó la mirada y me dijo que se regresaba a su país. Iba a recuperar a su esposa, a su familia.

No me gustaba inmiscuirme en asuntos ajenos. Dejé que él sanara sus heridas sin mis consejos. Juan era un hombre valiente. No todos los hombres tienen cojones para perdonar. El poco tiempo que lo conocí, nunca lo vi escupir. Aquella noche Juan escupió su enojo, escupió la traición, escupió la imagen de su esposa que cansada de tanto esperar se balanceaba en brazos ajenos. En ese escupitajo, botó su infierno, las noches de frio, sus días de mendigo. Botó esos años que se privó de acostarse en una cama, el sexo postergado con su esposa. Pobrecito Juan, botó sus más sagradas melancolías.

—Jaime, yo me enamoré para siempre —me dijo.

—Entiendo, Juan. Como la vida, el amor también tiene un final.

—¡No, Jaime! Ella volverá a mi lado. Prometimos que solo la muerte nos separaría. Al estar vivos los dos, el amor se mantiene respirando.

—Sé que el amor no muere. El amor suele mudarse a otro lugar, a otros brazos. Ella hizo lo que ella quería hacer. Tú también has hecho lo que tú has querido hacer. La diferencia es que ella fue feliz, y tú no. Tú estás destrozado por la felicidad de ella. Pienso que ella no te ama y no tienes ningún derecho a impedir su felicidad. Tú te volverás a enamorar, y no vas a incurrir en los mismos errores.

—Ella me ama.

—Entonces, no esperes más. Toma el primer vuelo y retorna.

—Lo haré.

Le puse un poco de pesimismo a la aventura de Juan.

—Juan, si no vuelve contigo, ¿qué harás? No puedes obligarla a que te quiera, no puedes aferrarte como se aferra un erizo de mar al pie de un pescador; vas a nadar contra la corriente. Reconozco que en ocasiones es bueno nadar contra la corriente. Si la sigues, puedes encontrar una cascada. Si nadas en contra, no le vas a correr a tus miedos. En tus miedos puedes hallar tus triunfos. Mantendrás tus valores. Puedes destacar. No vas a ser un hipócrita, un conformista. Tu amor será más solido, como el ave que le demuestra su amor al árbol, aunque el árbol esté muerto. El ave hace su nido en el árbol muerto. El árbol le brinda un hogar, el ave pone sus huevos, los huevos eclosionan; salen los polluelos, los polluelos se van, luego las aves vuelven a cantarle sus melodías al árbol muerto.

—¡¿Qué mierda estás hablando?! —preguntó Juan, airado.

—Es un consejo, ¡estúpido de mierda! Entiendo que estás sufriendo, pero no vengas a desahogarte conmigo. No explotes conmigo.

—Disculpa, Jaime.

—No te preocupes, te entiendo. Lucha por tu felicidad.

—Platiquemos un rato —me dijo.

—Estamos platicando.

—No. Hay que platicar de algo que me haga olvidar.

—¿Sobre qué quieres platicar? Le pregunté.

—No sé. Haz un cuento.

—Mis cuentos son aburridos.

—Hazlo, no importa.

—Un cuento corto: Dos hombres se enamoraron de una hermosa mujer llamada Teresa. Uno de ellos era detallista y le regalaba flores todos los fines de semana. El otro a diario le llevaba arroz, pollo, fideos, azúcar, etc. Teresa, muy ofuscada, le reclamaba al de los víveres, ¿por qué no eres delicado y me obsequias flores? Ella quería un hombre romántico y no a alguien que se preocupara por su desayuno o su almuerzo; así que, sin darle tantas vueltas al asunto, terminó con él, pese a las advertencias de la abuela, la cual a regañadientes, le decía: prefieres al que tiene un reloj suizo en el estómago y los genes olfativos de un hambriento chacal. Ese aparece puntual a la hora de la cena y nunca trae algo para comer, solo te trae rosas una vez al mes, no se puede hacer sopa de rosas, rosas fritas con queso, ensalada de rosas, tallarines de rosas, rosas a la leña con papas fritas, batidos de rosas, tostadas de rosas, parrillada de rosas. Teresa, por puro capricho y por llevarle la contra a la anciana, se fue a vivir con el detallista.

Ya viviendo juntos, él puso las cartas sobre la mesa, con un sermoncillo gangoso le hizo saber a Teresa lo siguiente, acá todo se va pagar a medias: la renta, la comida, el papel higiénico, los jabones, el champú, etc. Ella sintió que el alma se salía de su cuerpo. Estaba acostumbrada a no tener responsabilidades con los gastos de la casa.

En ese preciso instante extrañó el pollo a la brasa y las papas fritas que le llevaba su anterior pretendiente. Por primera vez, recriminó hacia sus desaderezados adentros: ¡Maldita la hora que abandonaste tu paraíso, Teresa! Muy tarde para dar marcha atrás; mientras buscaba trabajo, usó su tarjeta de crédito, la cual no tenía señas de haber pasado por la máquina de los supermercados nunca. La tarjeta perdió su virginidad con un pollo congelado y tres cajas de fideos. *¿Por qué tanto fideos?* Se preguntó ella. Después se haría muchas preguntas más. Se volvió medio filósofa. Tenía esperanzas de que su *amorcito* cambiara en algún momento. Así llamaba ella al mezquino de su novio.

Teresa se comunicaba con la abuela todos los días. Al levantarse de la cama, lo primero que le preguntaba era qué había cocinado. La abuela describía el sabor de las costillas de cerdo, la sopa de gallina de vivero con papas amarillas, habas, maíz, salmón con ensalada y aguacate, los tacos, los tamales... ella al otro lado de la línea se chupaba los dedos. Agarró la costumbre de mirar televisión hasta altas horas de la madrugada. Nunca fue aficionada a las películas, pero quedarse despierta era parte del presupuesto. Es decir: si se acostaba de madrugada, se levantaba tarde. Al levantarse tarde, no desayunaba; y ahorraba los gastos del pan, el café, la leche... además, en ese apartamento los productos mencionados eran algo así como extra-terrestres; dicen que existen, aunque nadie los ha visto. Se estaba acostumbrando a los desayunos-almuerzos: una comida en todo el día.

Como ya dije antes, Teresa compraba un pollo asado listo para comer, más los fideos. Él, a pesar de tener en su cuenta de ahorro una respetable suma de dinero, poseía el vicio de buscar la baratura de las frutas; bananas magulladas, fantasmagóricas uvas, decrépitas manzanas, descompuestas sandias... El menú de esos tortolitos consistía en lo siguiente:

Lunes: la segunda falange del ala del pollo para ella y la tercera falange para él, más dos puñados de pálidos fideos.

Martes: los cuartos traseros le tocaban a ella, y el muslo derecho a él, más dos puñados de descalabrados fideos.

Miércoles: ella, filete de una pechuga, él, el contra muslo, más dos puñados de arrugados fideos.

Jueves: ella, cuello, corazón y molleja; él, cuartos delanteros, más dos puñados de machacados fideos.

Viernes: ella, patas y la primera falange; él, el muslo izquierdo, más dos puñados de cadavéricos fideos.

Sábado: ella, un delgado y transparente filete de pechuga; él, dos trozos de pechuga, más dos puñados de sepultados fideos.

Domingo: él comía en la calle; ella visitaba a la abuela.

Teresa hizo números y los chocolates no encajaban en esa aritmética. Sus antojos se estaban quedando sin signos vitales. Decidió terminar con su amorcito, el cual ya padecía de languidez mortecina. Regresó a casa de la abuela, y lo primero que hizo fue buscar al amable joven que solía llevarle víveres en cada una de sus visitas. Creo que para ella el amor era un juego de rápido relevo.

Se llegaron a comunicar. Él aún seguía soltero. Acordaron cenar juntos. Ella estaba que no cabía en su propio cuerpo de tanta felicidad. Llegó la hora de la cita, tocaron a la puerta, antes de abrir, ella se dio cuenta de que ya no poseía el arte de la sonrisa fingida. Esta vez, llevaba una sonrisa natural. Tampoco tenía que ordenar sus mentiras, su corazón, fecundo para el amor. Vistió sus labios con una ardiente expresión provocadora. Salió corriendo para comerse a besos al antiguo pretendiente. Él tenía una amplia sonrisa en el rostro, y un ramo de flores en la mano.

Ella pensaba recibir unas costillas de cerdo con arroz y gandules, se tragó su saliva; (bueno, al menos tenía algo para tragar) y de mala gana invitó al alegre y jubiloso pretendiente entrar a la casa.

—¿Te gustó mi cuento?

—La verdad, no. Te contaré algo malo que hice cuando era joven.

—No, no me cuentes cosas malas. Quiero seguir conservando la imagen del Juan que conozco.

—No sé palabras bonitas.

—Yo menos.

—Te lo contaré a mi manera.

—Trata de que tu cuento sea alegre. Demasiadas tristezas para un solo día, ¿no crees?

—Es algo que hice hace muchos años.

—Listo, soy todo oídos, te escucho.

—A mí me gustaba levantarme temprano. Al barrio llegaba un panadero llamado Carpeta. Él dejaba los panes en bolsas colgando en las puertas. La única casa que rompía la uniformidad era la mía, no éramos clientes de aquél panadero. En vez de pan, mi madre sancochaba camote, eso más una taza **de** hierba Luiza conformaban el desayuno.

Éramos tres hermanos: dos hombres, una mujer. También mi papá y mi mamá. A mi padre le mordió una serpiente venenosa mientras regaba una chacra. Para ser más exactos, una cascabel le clavó los colmillos en su pierna derecha. Él se amarró un trapo y siguió trabajando. No quiso dejar su faena para no perder el día. Llegó a casa con náuseas y vómitos. La pierna la tenía morada. Lo llevaron al hospital; y el doctor dijo que la solución era amputarle la pierna. Mi papá aún estaba consciente. No quería vivir sin una de sus extremidades. El doctor le recalcó que era la única manera de salvarle la vida; y mi mamá convenció a mi papá. Le pusieron suero, se durmió, entró a cirugía, y la cirugía demoró como diez horas.

Estábamos cansados de tanto esperar. Luego, salió un enfermero y nos comunicó que la cirugía se había complicado. Tomaron una decisión urgente, si no mi papá habría muerto. Mamá preguntó cuál fue la decisión que tomaron. El enfermero le dijo que le habían amputado las dos piernas. Mi papá estaba sedado y demoraría dos horas en despertar. Mi mamá se puso a llorar. El hospital tenía fama de que los practicantes de medicina se confundían en las operaciones. A mi padre le amputaron la pierna equivocada, y, al darse cuenta del error, le cercenaron ambas piernas. Al enfermero se le puso la cara como el color de una sandia: roja, muy roja. Mamá descubrió la verdad. El enfermero se delató.

Reclamamos. No nos hicieron caso. Papá despertó sin sus dos piernas. Pidió que le pusieran una inyección que le causara una parálisis respiratoria o un paro cardíaco. No soportaba vivir así. Gritaba que odiaba ser un hombre incompleto. Siempre teníamos que estarlo cuidando. Mamá decía que era peor que cuidar a un bebé. Él echaba de menos sus días en el campo, desde muy pequeño desempeñó trabajos fuertes. Estaba habituado a regar la chacra, a podar las plantas de melocotones, a cuidar las flores del árbol. Cada flor se transformaba en fruto. Y las aves a veces llegaban en bandadas y tumbaban las futuras cosechas. Yo trabajé un tiempo con él, mi jornada consistía en tocar una lata vieja, y hacer sonar un silbato sin parar. El ruido espantaba a los plumíferos de sangre caliente. Escondíamos los cuchillos, los fósforos, el queroseno. Él se deprimía y no aceptaba palabras de aliento de nadie. Se la pasaba maldiciendo su destino. No soportaba las visitas de sus ex compañeros de trabajo, a todos los mandaba al carajo.

Mamá cuidaba todos los días a papá. Le preparaba el desayuno, el almuerzo, lo llevaba al baño. Mi hermano mayor era el único que trabajaba. El dinero no alcanzaba, así que mamá buscó trabajo en el campo. Allí laboraban varios hombres. Mamá estaba joven y bonita; le gustaba asistir a las fiestas del pueblo. Antes ella y papá bailaban hasta el cansancio en esos festivales. Él se quedaba llorando cuando mamá salía con los amigos del trabajo. Se golpeaba la cara, el pecho y estrellaba su cabeza contra la pared hasta sangrar. Sentía celos y esperaba despierto tirado al costado del umbral. Escuché a papá repetidas veces suplicándole a Dios que otro hombre no le quitara a su mujer. Supongo que Dios no lo escuchó.

Mamá poco a poco fue abandonando a papá. Creo que papá ya no podía tener relaciones. Mamá, con sus desprecios, demostraba que sentía asco de acostarse con un medio hombre. Ella conoció a papá con sus dos piernas. Papá quería acariciarla, pero mamá se alejaba. Ella mostraba su repugnancia haciendo gestos continuos como si quisiera arrojar su contenido estomacal a varios metros de distancia. Fue demasiada despiadada con quien en el pasado la hacía sentir mariposas en el vientre. Lo que más odiaba Papá era orinar. Solía decir que solo las mujeres orinaban sentadas. Mamá siempre llegaba del trabajo a las 7:00 p.m. Papá le reclamaba, decía que en el campo solo se trabajaba hasta las cinco de la tarde, que no tratara de engañarlo, que él se desempeñó muchos años en el agro. Papá empezó a sentir un dolor muy fuerte, no el del cuerpo, el dolor del alma.

Un día, Mamá no llegaba y ya eran las diez de la noche. Mi hermano mayor siempre se quedaba bebiendo con sus amigos. Mi hermana pasaba más de los días en casa de una tía, mi hermana odiaba cuidar a Papá. Salí a buscar a mamá. Caminé cinco minutos, intenté cruzar una acequia que no llevaba agua, cuando escuché el quejido de una mujer. Ella gritaba cosas asquerosamente excitantes relacionadas al sexo. Me di cuenta de que era la voz de Mamá.

Me acerqué sin que se dieran cuenta. Un compañero de su trabajo la tenía jalándole los cabellos. Él le daba nalgadas fuertes y le decía que gritara como perra. Mamá obedecía y aullaba; parecía querer mordisquear a aquél astro opaco que gira en torno a la tierra. Se tiraron cuatro polvos bajo la fase de la Luna. Estuvieron media hora. Yo escuchaba todo. Él quería irse, pero Mamá enloquecía al sentirse irrigada. Se liberaba de los tabúes que preservaba con Papá. Lo que me indignó fue lo que le dijo a su amante: me da asco mi esposo. Nunca volveré a tener sexo con él. Así que soy toda tuya.

Ellos eran dos fieras salvajes en llamas que se embestían en la oscuridad, o dos nubes henchidas de agua que mojaban esas sedientas acequias. Pensé que sería un pasatiempo sin importancia, deseos de la carne disociados del sentimiento. Después recobraría su equilibrio emocional y todo volvería a la normalidad.

Me fui a casa. Ella llegó y, antes de irse a dormir, le dijo a mi Papá que no cocinaría para él; y que nosotros estábamos grandes y podíamos preparar los alimentos. Pasó una semana y Mamá abandonó a papá. Lo sustituyó como se sustituye un objeto en desuso. Se fue con el otro hombre sin decirnos nada. Lo ultimo que supe de ella es que tuvo dos hijos con un carpintero, y vivía con él.

Yo quise saber si de verdad Mamá tenía otra familia. Una noche fui a verla en la casa donde supuestamente residía. Toqué a la puerta, pero nadie respondió. Eran las dos de la madrugada. Todos dormían. Se me ocurrió hacer una travesura poco común:

tomé aire y grité con todas mis fuerzas, "¡Temblor, temblor! Salgan pronto, las paredes se caen, temblor, temblor, temblor, ¡auxilio, temblor!"

Todas las personas empezaron a salir despavoridos de sus casas. El falso temblor violó la privacidad de la gente de ese pueblo. Me sorprendí al ver a dos hombres bien varoniles que se abrazaban y dejaban sus culos y sus secretos a la luz pública; esa intimidad que escondían bajo cien llaves. Algunos desnudos, otros en calzoncillos, varias mujeres con los senos descubiertos… entre esas mujeres estaba mi madre. Ella y su pareja no tenían ninguna prenda encima. Nadie me vio. Por supuesto esa fue la ultima vez que busqué a Mamá.

Todos sufrimos. Aunque mi hermano no sufrió tanto. La sangre ya la tenía alcoholizada. Y mi hermana prácticamente no vivía en casa.

Busqué trabajo en una tienda; le dejaba agua y comida a Papá; lo encerraba en un cuarto, aseguraba bien el cuarto para que no saliera a la cocina. Al costado de su colchón, ponía una tina. Allí, él cagaba y orinaba. Me dolía dejarlo así. El loco de mi padre insistía en quitarse la vida. Un martes, mi hermano llegó borracho a casa, y yo olvidé cerrar la puerta. Mi padre gateó apoyándose en el fémur de sus rodillas hasta llegar al cuarto de mi hermano; encontró un machete que mi descuidado hermano había dejado en la pata de su cama. Mi padre agarró el machete y se lo hundió en el estómago. Murió desangrado. Nadie se dio cuenta. Yo llegué de trabajar: vi la triste imagen de mi padre en un charco de sangre.

Enterramos a mi padre en un cementerio cerca de la casa. Mi hermana buscó a Mamá, le dio la noticia, y ella ni se inmutó. Nunca regresó a casa.

Dejé mi trabajo y me dediqué a robar bolillos de harina de trigo al panadero. Como dije antes, Carpeta dejaba los pedidos en bolsas, amarrados a las puertas. Cien casas, diez panes en cada bolsa. Yo hurtaba dos o, a veces, tres panes de cada cliente del panadero, lograba juntar un total de ciento cuarenta panes, me daba el mejor banquete de mi vida. Incluso llegué a vender panes en otro barrio. Estuve como seis meses en ese negocio. Logré juntar una buena suma de dinero y, de un momento a otro, Carpeta dejó de llegar al barrio. Circulaban las noticias de que había perdido su capital y se vio en la necesidad de abandonar su pequeña distribuidora.

—¿Qué pasó con el panadero Carpeta?

—Él volvió a los dos meses. Dejó la moto y se movilizaba en bicicleta.

—Pero, ¿siguió vendiendo pan?

—Sí, solo que la edad le impedía pedalear. Era un septuagenario sin levadura en los músculos.

—¿Seguiste hurtando productos al pobre anciano?

—No, tomé consciencia del error cometido y le ayudaba a repartir el pan de casa en casa.

—¿Le contaste lo que hiciste?

—Él se me adelantó. Me hizo saber que varios niños traviesos le robaban el pan.

—Osea, que no fuiste el único.

—No, aparte de mí, otros cuatro niños hacían lo mismo. Es difícil encontrar personas honestas en un pueblo donde el hambre es el pan de cada día.

—¿Y le cobrabas a Carpeta cuando le ayudabas?

—No, él me regalaba diez panes todos los días; y estaba contento con la mano que le echaba.

—Al menos procediste de buena manera.

—Sí, fui su ayudante por dos años. Hasta que pusieron la primera panadería en el pueblo. El negocio dejó de ser rentable y Carpeta se retiró.

—Te quedaste sin pan.

—Carpeta también se quedó sin pan.

—No entiendo, ¿Por qué dices que Carpeta se quedó sin pan?

—Él sacaba panes a consignación y, al cesarse, careció de esos bolillos.

—Interesante tu relato, pero tengo sueño. Voy a dormir a la lavandería.

—No, aún no te vayas. Cuenta alguna historia de duendes.

—Eso no. Siento temor de lo sobrenatural.

—Entonces, de lo que quieras.

—Estoy cansado, ya hemos platicado demasiado.

—Uno cortito, no tan extenso.

—Te voy a resumir unas de mis tantas vivencias.

—¿De joven o de viejo?

—Yo soy joven, viejo el sueño que cargo encima.

—¿No has dormido?

—Sí, he estado durmiendo mientras te hablaba, ¡Imbécil!

Por fin le arranqué una sonrisa al desdichado de mi amigo.

—Me alegra verte sonreír, hermano.

—Gracias, Jaime, eres buen ser humano; y pronto se cumplirán tus sueños.

—No hables de sueño, ya que automáticamente se cierran mis ojos.

—Antes de que se cierren, regálame un cuento breve.

—Pensé que lo habías olvidado. Te contaré el ultimo, luego me retiraré.

—Está bien. Me llevaré estos recuerdos, hermano.

—Yo también, ¿Escucharás mi cuento o no?

—Claro que sí. Puedes empezar.

Fui pescador desde los diez años. Siempre acompañaba a mi padre a la pesca. Me gustaba nadar cuando la mar estaba picada y sortear las olas unas tras otra. Las olas parecían enormes poseidones que querían atraparme; yo me zambullía y pasaba por debajo de las rompientes como un pez conocedor de aquel ecosistema.

Normalmente, llegaba hasta donde rompía la primera ola. Allí se formaba un canal oscuro y profundo. Los peces más grandes nadaban en ese lugar; sus bordes eran como acantilados, si caías o la corriente te llevaba a ese sitio, eras hombre muerto. Yo sentía que la garganta de un monstro marino escondido entre las algas esperaba por mí; claro, no fui tan tonto y nunca escuché esas frescas voces que me llamaban desde aquella profundidad. Ataba mis nervios como una vez ataron a Ulises.

Un día, no habíamos tenido buena suerte con la pesca. Mi padre y yo nos sentamos a descansar. Mi padre se dio una siesta en esa cama de arena blanca; a mí me entraron unas ansias de nadar. Entré al mar y vi una peña cargada de mariscos. Me subí a la peña a comer moluscos. Luego, me senté a con-templar la inmensidad del mar. Pasé como media hora preguntándome si en ese canal oscuro vivían seres desconocidos. Vi que una enjuta y famélica liza saltaba nerviosa cerca de la peña. Me pareció algo raro: las lizas siempre andan en cardúmenes. No le hice caso, pero la liza seguía saltando con más fuerza, como si quisiera subir a la peña. Después de muchos saltos, la liza perdió sus fuerzas y desapareció. Me bajé de la peña. Escuché un ruido extraño, no era el ruido del agua ni de los peces. Miré a la orilla del mar. Mi padre seguía en su siesta. Un inmenso espumarajo se formó a mis espaldas. Subí rápidamente a la peña. Miré alrededor y no vi nada. De repente, una silueta negra apareció cerca a la peña; me froté los ojos para poder salir de dudas. ¿Era mi pareidolia o una nube reflejada en el mar?

Se estremecieron mis huesos de un modo tan horrible que empecé a llorar. Había burbujas en el agua como si un pez gigante estuviera a punto de salir a la superficie. Le grité a mi padre muchas veces; creo que grité como cien veces pidiendo auxilio. El eco de unas desconocidas voces se empezaron a escuchar. No eran mis ecos. Me pregunté qué hacían esos ecos confundidos con los míos, ecos que también pedían auxilio. Creo que una gaviota que volaba sobre la eterna hermosura del mar escuchó mis gritos. El agua impetuosa y violenta golpeaba la peña, trayendo un ruido ensordecedor; las olas rabiaban y rugían. La marea subía y me obligaba a bajarme de la peña. Opté por descender. Apenas mis dedos chocaron el agua, sentí que algo se prendió de mis pies, me jalaba con una fuerza tan descomunal que centímetro a centímetro mi cuerpo se iba hundiendo en el agua; yo luchaba por mantenerme a flote, no podía más. Me agarré de la peña para luchar por mi vida. Mis manos sangraban, las cáscaras de los mariscos me las habían cortado. Ya estaba sin fuerzas. En cuestión de segundos, el animal que jalaba mis pies me llevaría a las profundidades.

Tomé aire y me solté. Todo era oscuro. No veía nada. El agua salada ya recorría mi esófago. De un momento a otro, sentí que me sacaban de la puerta del cielo; mis pies estaban libres, gané la superficie, tomé aire y nadé lo más rápido que pude a la orilla del mar. Me desplomé en la arena.

Después de recuperarme, vi a mi padre saliendo del mar con un enorme pulpo, de unos cincuenta kilos, y con una sonrisa de unos mil kilos. Mi padre me dijo que vio que me estaba ahogando y entró con un cuchillo, con el que golpeó la cabeza del pulpo. Según él, en la cabeza del pulpo está su punto débil. Él estaba feliz por la buena pesca; sonreía como nunca. Aquél día fue la única vez que mi padre me dio un abrazo.

Llevamos a vender el pulpo a un restaurante turístico. Le dieron sesenta soles por la venta del invertebrado.

Al siguiente día, fuimos nuevamente de pesca, y él quiso descansar en el mismo lugar, al frente de esa enorme peña, que sobresalía en el mar. Se acostó en la arena, y de rato en rato me miraba. Yo me puse a pelar carnadas y a desenredar mi cordel de pescar. Él se veía desesperado, como que algo le incomodaba. Sentí temor; conocía su carácter. Una vez me golpeó con una rama fina de un árbol por pedir desayunar. No me dolieron los golpes. Me dolió que el hombre que más admiraba me aporreara sin motivos.

Después de media hora, se levantó y me preguntó: "¿A qué hora vas a entrar a nadar?"

Juan se echó a reír y me dijo:

—Tu padre no te quería.

Lo miré y, ya que nunca me he dejado domesticar por la hipocresía, le respondí:

—Tu mujer tampoco te quería.

Esa fue la última vez que vi a mi amigo Juan.

Epílogo:

El futuro es un mundo que nadie habita, un mundo poblado de fantasmas de mármol que son tragados por el tiempo sin dejar rastros de ellos (como las hormigas, que salen de sus hormigueros a cargar más de su propio peso). El hombre quiere acaparar todo, y no llega a ser dueño de nada, ni de su propia vida siquiera.

Mi amigo Juan ya habita la segunda tierra; ya observa las estrellas del segundo cielo. Él vive su segunda vida. En la primera no disfrutó del amor, y en la segunda tampoco lo hará. Nadie se podrá enamorar en la resurrección. (Él volvió a su tierra para reconquistar el amor, y lo asesinaron a dos semanas de su retorno.)

Yo encontré en el presente la éternidad. Y pienso que la anomalía más grande de la persona es dejar de soñar. Soñaba con ser poeta, y ya he publicado dos libros de poesía. Mis poemas más hermosos no los he publicado. Esos los escribí con el corazón y se los regalé a mis hermanos que viven en mi hogar (la tierra).

No dejes que el destino te quite la felicidad ni que un conjunto de malos entendidos (fama) te robe la humildad.

Y, jamás, abandones a tus mejores amigos: los libros.

Aún espero retornar y visitar en cualquier momento la tumba de mi madre, y preguntarle por qué se marchó tan temprano.

Jaime L. Pachas, natural de Chincha -Ica- Perú. Inició su trayectoria en la poesía a la edad de catorce años. Ganó algunos concursos en la escuela. Participó en eventos poéticos en la radio, obteniendo el primer lugar en tres ocasiones.

Jaime es uno de los poetas más solicitados y visitados en la plataforma de Facebook, teniendo videos recitando poesía de hasta tres mil reproducciones. Sus poemas han sido incluidos en varias antologías con poetas de diferentes países.

Fue elegido 'El personaje peruano del 2017' en New York. En el 2018, le dieron el premio *Arte* como el poeta más sobresaliente en New Jersey.

Ha publicado dos poemarios: *Enamórate de mis versos* (2017) y *Las virtudes del amor* (2020).

Otras novelas de Books&Smith

www.booksandsmith.com

Made in the USA
Monee, IL
17 April 2021

64861201R00073